Né en 1960 à Valenciennes, Grégoire Delacourt est publicitaire. On lui doit notamment de fameuses campagnes pour Cœur de Lion, EDF, Lutti, Apple ou encore Sephora. Son premier roman, *L'Écrivain de la famille*, a été récompensé par cinq prix littéraires dont le prix Marcel Pagnol. *La Liste de mes envies*, best-seller international publié et traduit dans plus de trente pays, a été mis en scène au théâtre en 2013 et a fait l'objet d'une adaptation cinématographique en 2014 avec Mathilde Seigner et Marc Lavoine dans les rôles-titres.

Paru au Livre de Poche :

DANSER AU BORD DE L'ABÎME

L'ÉCRIVAIN DE LA FAMILLE

LA LISTE DE MES ENVIES

ON NE VOYAIT QUE LE BONHEUR

LA PREMIÈRE CHOSE QU'ON REGARDE

LES QUATRE SAISONS DE L'ÉTÉ

GRÉGOIRE DELACOURT

La femme
qui ne vieillissait pas

ROMAN

JC LATTÈS

Exergue : « Sarah », auteur-compositeur : Georges Moustaki,
Album n° 2, Disques Jacques Canetti, 1967.

© Éditions Jean-Claude Lattès, 2018.
ISBN : 978-2-253-10039-3 – 1re publication LGF

Celui-ci est pour ma mère –
elle ne vieillit pas depuis trop longtemps,
et surtout, elle adorait le sept.

« La femme qui est dans mon lit
N'a plus vingt ans depuis longtemps [...]
Et c'est son cœur
Couvert de pleurs
Et de blessures
Qui me rassure. »

Georges Moustaki, *Sarah*

UN À TRENTE-CINQ

À un an, je faisais parfaitement mon âge.

Une charmante brindille de soixante-quatorze centimètres, dotée d'un poids idéal de neuf kilos trois, d'un périmètre crânien de quarante-six centimètres, couvert de boucles blondes et d'un bonnet, quand soufflait le vent.

Après avoir été nourrie au sein, je consommais alors plus d'un demi-litre de lait par jour. Mon alimentation s'était enrichie de quelques légumes, féculents et protéines. Au goûter, une compote maison, avec, de temps en temps, des morceaux qui fondaient sous le palais, comme un sorbet.

À un an, je fis aussi mes premiers pas – une photographie l'atteste ; et, tandis que je gambadais, petite biche pataude, trébuchant quelquefois à cause d'un tapis ou d'une table basse, Colette et Matisse tiraient leur révérence, Simone de Beauvoir remportait le Goncourt et Jane Campion venait au monde sans savoir qu'elle me bouleverserait trente-neuf ans plus tard, en déposant un piano à queue sur une plage de Nouvelle-Zélande.

À deux ans, ma courbe de croissance fit la fierté de mes parents et du pédiatre.

À trois ans, quatre secondes molaires s'ajoutèrent dans ma bouche à ma collection de dents, laquelle comptait déjà huit incisives, quatre premières molaires et quatre canines – mais maman préférait continuer à moudre les noix et les amandes que je lui réclamais, de peur que je m'étouffe.

Je mesurais presque un mètre, quatre-vingt-seize centimètres pour être précise, mon poids était statistiquement remarquable : quatorze kilos répartis tout en finesse ; le tour de mon crâne s'établissait à cinquante-deux centimètres selon mon carnet de santé, et papa était prolongé en Algérie ; il nous envoyait des lettres tristes, des photos de lui au milieu de ses amis – ils fument, parfois ils rient, parfois ils semblent mélancoliques, ils ont vingt-deux, vingt-cinq, vingt-six ans, ils ressemblent à des enfants dans des déguisements de grandes personnes.

On a le sentiment qu'ils ne vieilliront plus.

À cinq ans, j'étais une vraie petite fille de cinq ans. Je courais, je sautais, je pédalais, je grimpais, je dansais, j'étais agile de mes mains, je dessinais bien, j'argumentais, j'étais curieuse de tout, je rabrouais les gros mots, je m'habillais en sept ans et j'en étais fière ; il y eut une insurrection à Alger et papa est rentré.

Il lui manquait une jambe et je ne l'ai pas reconnu.

À six ans et demi, j'ai perdu mes incisives et mon sourire oscillait entre la grimace et l'idiotie. Je passe le goût de fer dans la bouche, la souris, les pièces d'un franc sous l'oreiller.

À huit ans, les documents indiquent que je faisais cent vingt-quatre centimètres de haut et que je pesais vingt kilos. Je portais des chemises en jersey, des jupes Vichy, une robe à modestie et, pour les dimanches chics, une robe en taffetas de soie. Des rubans volaient dans mes cheveux, comme des papillons. Maman aimait à me photographier, elle disait que la beauté ne dure pas, qu'elle s'envole toujours, comme un oiseau d'une cage, qu'il est important de s'en souvenir ; important de la remercier de nous avoir choisies.

Maman était ma princesse.

À huit ans, j'avais conscience de mon identité sexuelle.

Je savais différencier la tristesse et la déception, la joie et la fierté, la colère et la jalousie. Je savais que j'étais malheureuse que papa n'ose toujours pas me prendre sur ses genoux, malgré sa nouvelle prothèse. Je savais la joie, lorsqu'il était de bonne humeur ; il jouait alors à Long John Silver, me racontait les trésors, les mers et les merveilles. Je savais la déception, lorsqu'il souffrait, qu'il était de méchante humeur, lorsqu'il devenait Long John Silver colérique et menaçant.

À neuf ans, j'appris à l'école comment les hommes se déplaçaient et s'éclairaient à la veille de la Révolution, on nous raconta l'échappée de Gambetta en ballon, et au-dessus de nos têtes un Russe tournait dans l'espace – il donna plus tard son nom à un cratère de deux cent soixante-cinq kilomètres de diamètre.

À dix ans, je ressemblais furieusement à une petite fille de dix ans. Je rêvais sur mon front de la frange de Jane Banks dans *Mary Poppins*, que nous étions allés voir en famille au cinéma Le Royal. Je rêvais d'un frère ou d'une sœur aussi, mais papa ne voulait plus d'enfant dans un monde qui tuait les enfants.

Il ne nous parlait jamais de l'Algérie.

Il avait trouvé un travail de vitrier – funambule sur escabeau, riait-il, c'est pas une jambe de moins qui fera la loi ! Il tombait souvent, pestait contre l'absente, et chaque nouvelle marche gravie était une victoire ; je le fais pour ta mère, qu'elle comprenne que je suis pas un éclopé. Il aimait bien regarder chez les gens. Les observer. Cela le rassurait de voir que la douleur était partout. Que des garçons de son âge étaient rentrés d'Algérie avec des blessures inguérissables, des cœurs arrachés, des bouches cousues pour ne pas raconter, des paupières collées pour ne pas revivre les horreurs.

Il vitrait les silences comme on referme des cicatrices.

Maman était belle.

Elle rentrait parfois les joues rouges. Alors Long John Silver cassait une assiette ou un verre, puis s'excusait de sa maladresse en pleurant, avant de ramasser les éclats de son chagrin.

À dix ans, je mesurais cent trente-huit centimètres virgule trois, je pesais trente-deux kilos et demi, ma surface corporelle avoisinait le mètre carré – un micron, dans l'univers ; j'étais gracieuse, je chantais *Da Dou Ron Ron* et *Be Bop A Lula* dans la cuisine jaune pour les faire rire et, un soir, papa me fit asseoir sur son unique jambe.

À douze ans, j'ai vu mes aréoles s'élargir, s'assombrir ; j'ai senti deux bourgeons éclore sous ma poitrine.

Maman a commencé à porter des jupes qui découvraient ses genoux, grâce à une certaine Mary Quant, en Angleterre ; puis bientôt elles révélèrent presque toutes ses cuisses. Ses jambes étaient longues, et pâles, et je priais pour plus tard avoir les mêmes.

Certains soirs, elle ne rentrait pas et papa ne cassa plus d'assiette ni de verre.

Son travail marchait bien. Il ne faisait plus seulement les réparations de châssis, les remplacements de vitres à cause des tempêtes ou des actes de malveillance, mais il posait désormais les fenêtres des pavillons modernes qui poussaient partout autour de la ville, attirant de nouvelles familles, des automobiles, des ronds-points et quelques filous.

Il aurait voulu que nous quittions notre appartement pour nous installer nous aussi dans l'un de ces pavillons neufs. Il y a des jardins et de grandes

salles de bains, disait-il, des cuisines tout équi-
pées. Ta mère serait heureuse. C'est tout ce qu'il
espérait. En attendant, il avait acheté une Grandin
Caprice et nous regardions, fascinés, *Le Mot le plus
long* et *Le Palmarès des chansons*, sans parler d'elle,
sans l'attendre, sans joie.

Puis j'ai eu treize ans.

Au début de l'été, maman est allée au Royal avec
une amie voir le film d'un jeune cinéaste de vingt-
neuf ans.

Un homme et une femme.

Quand elle est sortie de la salle, elle riait, elle
chantait, elle dansait sur la chaussée et une Ford
Taunus de couleur ocre l'a emportée.

Elle venait d'avoir trente-cinq ans.

Je croyais qu'elle était immortelle.

À treize ans, j'ai vieilli d'un coup.

J'ai eu froid.

La pièce était faiblement éclairée et maman reposait sur un lit qui me semblait dur ; ses longues jambes, son corps, couverts d'un drap blanc. La beauté de ses traits était toujours là et cependant, elle s'était envolée. J'ai su plus tard ce que les corbeaux faisaient pour maintenir l'image de la paisibilité, l'illusion de la vie : des injections hypodermiques par seringue, afin de rétablir l'apparence naturelle du visage par rehaussement des chairs affaissées – comme les lobes d'oreilles, les joues, le menton –, procédé qui permettait également de redonner des rondeurs au défunt, dans le cas où il aurait beaucoup maigri durant la période précédant son décès.

Ce qui n'était pas le cas de maman. Elle avait juste été arrachée. Désarticulée.

Papa pleurait ; de mes bras j'ai entouré son grand corps bancal de pirate. Nous nous réchauffions dans le silence.

Je n'ai pas pleuré parce que maman disait que les larmes déforment les visages.

Plus tard, il a ôté son manteau, en a couvert le corps de maman ; elle va prendre froid ici, a-t-il dit, et c'est lui qui a pris froid ce jour-là.

Son cœur est devenu galet.

Je n'osais pas parler à maman à voix haute dans cette horrible pièce – dans un coin d'ombre, un bouquet de fleurs en plastique, sans parfum, sans rosée, un cahier pour y écrire des cris qu'elle ne lirait pas, le râle hoqueteux de la climatisation.

J'ai laissé les mots se cogner dans ma poitrine, s'étouffer dans ma gorge et s'échapper de mes lèvres dans une buée ouateuse, puis j'ai pris congé d'elle, comme on fait des adieux avant de rejoindre une guerre, et j'ai rejoint la rue, le bruit des voitures assassines, la douceur du printemps, les odeurs d'été qui pointaient déjà ; et papa soudain a été près de moi, immense, un chêne.

Au café du coin, il a demandé un très grand verre de bière qu'il a descendu cul sec, j'ai bu un diabolo, puis il a commandé un kir qu'il a laissé sur la table, elle adorait le kir, et, l'ivresse naissante et la peine mélangées, il a lâché : ce n'est pas parce qu'elle n'est plus là qu'elle n'est plus là.

À treize ans, j'ai compris ce qu'être seul signifie.

Plus tard, la famille est venue. Le frère de maman qui habitait Talloires et préparait des voitures de rallye. Il était accompagné d'une femme qui n'était pas la sienne ; elle ressemblait à l'interprète de ce nouveau tube, *La maison où j'ai grandi*, que nous chantions maman et moi, en hurlant, hystériques, dans des cuillers en bois qui nous servaient de micros. Sont arrivés aussi de Valenciennes les parents de papa, la peau grise comme le ciel du Nord, les yeux sombres comme du schiste, soudés l'un à l'autre – deux balanes sur un rocher. Ils s'inquiétaient pour leur fils : ça va pas être facile de r'trouver quelqu'un avec une gamine et une seule guibole, pour sûr. Pour sûr, opinait l'autre.

Et ce fut tout.

Notre famille était une espèce en voie de disparition. Une fleur qui ne s'ouvrait plus au matin.

Il y a eu un vin d'honneur à la maison après le cimetière, et des amis de maman ont apporté des gâteaux, des souvenirs, parce qu'il faut bien se remémorer les jolies choses si l'on veut repartir debout. Rester vivant.

Marion, avec qui maman était allée voir le film de Claude Lelouch, m'a offert une photo d'elle. C'était un instantané en couleurs, fait avec ces nouveaux appareils Polaroïd. Maman devant Le Royal. Maman qui sourit à l'objectif. Maman avec une frange rousse, une robe Cardin. Maman deux heures avant la Ford Taunus. Maman belle. Si belle. Immortellement belle.

À treize ans, j'ai compris que la beauté ne dure pas.

À quinze ans, Dieu merci, mes hormones adolescentes n'agissaient pas sur mon humeur, mes états d'âme ou mon comportement.

Je n'étais donc ni agressive, ni rebelle, ni surexcitée, ni mal dans ma peau, ni même hypersensible, larmoyante – quoique je confesse avoir quand même beaucoup pleuré à la fin du *Lauréat* lorsque Dustin Hoffman crie Elaine ! Elaine ! Elaine ! ; mais c'est pour d'autres raisons.

À quinze ans, je suis devenue une ravissante jeune fille, dans la cruelle absence de maman, sans ses conseils pour m'habiller, me maquiller, m'essayer aux premières épilations, savoir quoi répondre et ne pas répondre aux hommes de l'âge de papa, assoiffés, qui voulaient partager une limonade avec moi, ou aux garçons de mon âge, empressés, charmants et maladroits, qui rêvaient d'inconnu, de hasard, de seins, surtout, et qui ânonnaient le dernier Dylan en crânant : *I'll Be Your Baby Tonight*.

Maman n'a pas eu le temps de m'enseigner la faim des hommes, les soupirs des femmes.

À quinze ans, je connus mon premier chagrin d'amour.

J'ai écrit une lettre d'adieu à mon tortionnaire, une autre au monde entier qui, décidément, ne comprenait rien.

J'ai volé à papa une lame de rasoir, emballée dans un papier ciré ; au moment où je m'en suis emparée, elle a fait jaillir une perle de sang au bout de mon pouce droit, j'ai été tétanisée, et tout est rentré dans l'ordre.

Maman me manquait, ses bras, son souffle, j'étais orpheline de chaque pore d'elle, de chaque cheveu, de chaque syllabe qu'elle n'avait pas eu le temps de m'offrir – comme papa, je marchais alors sur une seule jambe.

La sienne, néanmoins, le mena jusqu'à Françoise, quarante ans, divorcée, un fils de mon âge, Michel. Françoise, aimable vendeuse au Chat Noir, magasin de chaussures situé près des anciennes Halles, bouleversée que papa soit obligé de toujours en acheter une paire alors qu'il ne chaussait que la gauche. C'est ce bouleversement qui fit se fissurer le galet de son cœur, s'y engouffrer quelques promesses, un vent chaud et autres douceurs, et papa, si j'ose dire, sauta à pieds joints dans les bras qu'elle lui ouvrit.

À seize ans, je continuais de grandir.

Je mesurais alors un mètre soixante-cinq, pesais cinquante-deux kilos – les pantalons tombaient sur moi comme sur Twiggy, selon la vendeuse des

Nouvelles Galeries –, j'avais changé de coiffure pour une queue-de-cheval bouffante ; à Paris, les pavés volaient, on y interdisait d'interdire, on y hurlait de faire l'amour pas la guerre et j'étais bien d'accord, oh oui – un joli garçon un peu plus âgé que moi me l'avait même proposé, après quelques baisers et une caresse audacieuse, mais je n'avais pas encore osé offrir ce que je n'offrirais qu'une fois.

Cette année-là, à cause de la chienlit généralisée, les épreuves du baccalauréat se déroulèrent uniquement à l'oral, et la très grande majorité des lycéens furent bacheliers au début de l'été.

En septembre, papa épousa Françoise. Michel devint mon demi-frère. Tout était sombre en lui. Il me regardait sans me voir. Nous n'avons jamais été des amis. Juste des connaissances.

Nous nous sommes enfin installés en banlieue, dans l'un de ces nouveaux pavillons avec jardin, grande salle de bains, cuisine équipée et cheminée au gaz qui aurait pu, selon papa, rendre maman heureuse. Mais c'était avant tout ça. Avant Anouk Aimée. Avant Jean-Louis Trintignant. Avant la plage, la Mustang blanche et la musique de Francis Lai.

À presque dix-sept ans, je suis tombée amoureuse de Steve McQueen après avoir vu *Bullitt* au Royal, et de Jean-Marc Delahaye, après l'avoir entendu jouer *Mamy Blue* à la guitare.

Il me fut plus facile de me donner au second.

Cela a eu lieu chez lui, dans le petit lit de sa petite chambre de garçon, autocollants Castrol, MV Agusta, Yamaha sur la porte, posters du pilote Giacomo Agostini punaisés au plafond – un romantisme fou. Lorsque Jean-Marc s'est retiré, heureux, prévenant, qu'il a commencé à mettre des mots sur ce que nous venions de vivre, je me suis rhabillée à la hâte et me suis enfuie.

Dans la rue je riais, je chantais, je dansais, une voiture qui roulait à vive allure m'a frôlée en klaxonnant, et j'ai su, maman, que tu étais près de moi ce jour-là, que tu dansais avec moi, que j'étais enfin ton amie.

Je suis rentrée les joues rouges, et Long John Silver n'a rien cassé.

Il a seulement dit tu as l'air essoufflée, Martine – Dieu que je détestais mon prénom –, et je me suis mise à sangloter, je lui ai répondu que maman me manquait, que ça faisait toujours aussi mal, il s'est levé, il a versé un peu de sirop de cassis dans un verre, puis l'a rempli de vin blanc, l'a posé sur la table ; il a dit je suis désolé, je fais de mon mieux, Martine ; il a dit je sais qu'on n'a qu'une maman et, pour un instant, elle fut là, avec nous.

Puis Françoise et Michel sont rentrés à leur tour. Nous avons dressé la table, j'ai réchauffé le gratin, préparé une salade ; les mots se sont envolés en piaillant – Françoise a raconté sa journée au Chat Noir, papa l'écoutait en souriant ; Michel a parlé de la Mobymatic qu'il rêvait de posséder, avec double embrayage Dimoby et variateur, près de cinquante-trois kilomètres à l'heure, tu te rends compte, Henry ? – Henry, c'est papa –, et papa l'écoutait avec bienveillance tout en me regardant à la dérobée. À son regard, pour la première fois, j'ai su qu'il m'aimait de son mieux.

Michel et moi nous tenions toujours le plus loin possible l'un de l'autre – aucune méchanceté, seulement de l'indifférence.

Françoise avait quant à elle l'élégance de toujours prendre le bras droit de papa, de marcher du côté où sa jambe avait été emportée par un obusier, près de Palestro, en Kabylie. Elle était sa béquille. Elle était son aile.

Papa l'aimait, mais d'un amour bien différent de celui qui l'avait consumé avec maman, m'apparaît-il avec le temps.

Avec maman, il avait été une forge, du fer qu'on cogne, une rage, des étincelles, des brûlures et des baumes. Il avait été une passion charnelle et sans limites, jusqu'à la mitraille algérienne – le corps rendu, privé d'exaltation et de chant. La jouissance avait fait place au silence. L'impuissance rongeait. Et lorsque le soir maman rentrait, les joues rouges, non d'avoir trahi le handicapé mais d'avoir conjuré la peine, c'est sa jambe absente qui le tisonnait ; il tentait alors d'éteindre les braises avec de l'alcool mais les blessures s'enflammaient davantage. Je crois que c'est parce qu'il avait peur qu'il criait. C'est parce que son corps était cassé qu'il cassait des choses. Parce que son cœur était en miettes.

À dix-sept ans, j'ai vu mon père retrouver enfin le sourire.

Puis Lille.

L'Université catholique, une première année de lettres, dans le remarquable bâtiment de la rue Jean-Bart.

J'allais avoir dix-huit ans, je portais des jupes qui volaient parfois, découvrant mes longues jambes pâles – merci maman –, j'étudiais le théâtre du dix-huitième siècle, Goldoni, Favart, Marivaux, la sémiologie de l'image et le latin.

Le soir, nous nous retrouvions à une vingtaine d'étudiants au Pubstore nouvellement ouvert, avec sa drôle de façade en cuivre, percée de hublots ; j'y ai bu mes premiers cocktails, fumé mes premières cigarettes, un peu de marijuana, j'y croisais quelques rêveurs qui redessinaient le monde et les lisières de l'âme des hommes ; deux d'entre eux passèrent dans mes bras, se posèrent contre mon cœur, mais jamais dans mon cœur, et puis il y eut Christian, son charme ahurissant, son regard trop clair, Christian aux yeux duquel, malgré mes tenues choisies pour lui, mes paupières pour lui

couvertes de fard violet ou vert ou bleu, comme
des nuits, malgré mes lèvres glossy qui appelaient
aux baisers, malgré ma peau qui disait oui, Christian aux yeux duquel j'étais invisible – cette terrible blessure de l'indifférence.

Je traversais alors les jours et les nuits, brinque-
balée, la vie semblait sans fin et cette immensité
était grisante ; nous découvrions le cinéma américain indépendant au Kino, nous parlions du Vietnam jusqu'à l'aube, écoutions Joan Baez, *Ohio* de
Neil Young en boucle ; chacun de nous se voyait
changer le monde, y faire disparaître des mots,
malheur, *faim*, *injustice*, mais le malheur, la faim,
l'injustice étaient loin, de l'autre côté de la terre,
au-delà des mers – une sorte d'opéra qui nous glissait entre les doigts.

Je rentrais chaque week-end. Dans le train, je
m'évadais du programme de lettres pour redevenir
une futile jeune fille de presque dix-huit ans : dans
les magazines de cinéma, je contemplais l'éternelle jeunesse de Liz Taylor, d'Ursula Andress,
de Raquel Welch, ces photographies qui figeaient
leur beauté pour toujours, sans la griffe d'une ride,
sans l'ombre d'un effroi. Cela me faisait rêver,
parce que personne n'aime les choses qui s'altèrent
– elles nous donnent l'impression de mourir.

La beauté de maman ne s'évanouirait plus.

À la maison, je passais les heures avec Françoise
et papa – sa nouvelle prothèse articulée l'enchantait, même s'il devait s'aider de ses mains pour la

plier ; je passais les heures, indolente, dans les idées provinciales paisibles ; nous avions un soir parlé du récent manifeste des 343 femmes pour l'avortement, et Françoise, amusée, avait haussé les épaules en affirmant que cela n'arriverait pas, qu'on ne permettrait jamais l'assassinat des bébés, et je n'avais rien dit, je ne lui avais pas parlé des temps qui changeaient, du vent qui s'était levé dans le dos des femmes, comme des voiles, parce qu'il ne sert à rien de chercher à avoir raison.

À cette époque, Michel et sa petite bande menaçante chevauchaient leurs Mobymatic chaudron, fonçaient à cinquante-trois kilomètres à l'heure sur les routes du département ; ils s'invitaient dans les bals et les mariages, faisaient parfois le coup de poing, le coup de sang. Mon demi-frère avait choisi l'obscurité et faisait pleurer sa mère. J'avais perdu une maman, elle perdait un enfant.

Puis mes dix-huit ans arrivèrent, et avec eux, André.

Mes dix-huit ans ; un véritable air de dix-huit ans, un parfum d'herbe coupée, un mètre soixante-dix – ma taille définitive –, cinquante-deux kilos, *tsk*, *tsk*, un peu maigrichonne, Martine, commentait Long John Silver, tiens, ressers-toi, elles sont bonnes ces pâtes ; des cheveux courts façon Jean Seberg dans *Sainte Jeanne*, ils me donnaient un côté garçon, très moderne, dont je raffolais ; j'avais la peau parfaite, douce, un teint rose pâle de bébé ; mes dix-huit ans insolents et triomphants que je savourais sans en apprécier tout à fait la grâce ; des femmes de l'âge qu'aurait eu maman me regardaient comme on regarde un souvenir, une cendre envolée, certaines alors me souriaient, d'autres baissaient les yeux comme on le fait devant un malheur, une cicatrice ; j'avais les dix-huit ans insouciants, la vendeuse des Nouvelles Galeries m'avait cette fois incitée à essayer des rouges à lèvres plus audacieux, plus denses, des gouttes de sang que les hommes doivent avoir envie de lécher, chuchota-t-elle, la chair de poule soudain sur ses bras nus, et j'avais osé le rouge baiser en pensant que maman aurait elle aussi apprécié, qu'elle m'aurait même conseillé un épais trait de khôl sur les paupières, comme les chanteuses, les actrices, leurs regards qui vrillent les cœurs ; j'aimais cette éclosion, je me sentais bien dans cet âge qui conserve des odeurs de lait, d'enfance, et offre déjà celle, musquée, des convoitises, des effronteries ; je me sentais entre deux moi, sans écartèlement aucun, juste un équilibre parfait, qui ne durerait pas, je le savais, mais qui pour l'instant avait un charme inédit, passager, l'éphémérité d'une neige ; je le savourais comme plus tard, avant la douleur, l'effarement, je savourerais la permanence des choses, l'illusion que rien ne change et que c'est dans l'immobilité que se trouve le bonheur ; je souriais en marchant seule sans que jamais l'on me prenne pour une idiote, je souriais en montant à bord du Mongy, je souriais en regardant une robe dans une vitrine, je souriais quand André m'aborda dans la rue, devant la Catho, quand il me demanda pourquoi je souriais et que je fus incapable de lui répondre autrement que par un sourire plus grand encore. André n'était pas le plus beau de tous les garçons, pas le plus laid non plus ; il avait des yeux aimablement tristes, un regard doux posé sur le monde, comme une prière, un chuchotement, les yeux de Gene Kelly dans le magasin de musique au moment où entre Françoise Dorléac,

l'hypnose, l'évidence ; les rencontres les plus déci-
sives sont toujours les plus simples me semble-
t-il, juste un hasard, une seconde d'inattention, et
voilà l'autre qui s'immisce, nous réchauffe alors
que nous n'avions pas froid ; André est entré dans
ma vie avec son regard triste et je ne suis pas allée
en cours ce jour-là, nous avons marché dans le
Vieux-Lille et j'ai ressenti à nouveau ce qu'avait
dû ressentir maman en quittant Le Royal, en quittant Anouk Aimée et Jean-Louis Trintignant, j'ai
eu à nouveau envie de danser moi aussi ; et André
a pris ma main, m'a fait faire un pas de deux rue
de la Monnaie, quelques passants souriaient, ah,
l'amour !, pour un peu, on nous aurait jeté une
pièce ou deux ; pour la première fois j'ai senti que
mon corps découvrait le vide, pour la première
fois j'ai senti la peur et le feu dans mes entrailles,
et l'insouciance de mes dix-huit ans s'est fissurée
à l'aube de mes dix-huit ans.

Ce jour-là, André n'a cherché ni à m'embrasser ni à me toucher, il n'a fait aucune promesse,
ne m'a même pas proposé de boire un café, un
chocolat chaud, un verre de vin, il a simplement
ouvert la main après notre pas de danse, pour
laisser la mienne s'envoler, avant de sourire à
son tour, enfin, en disant : si je ne te retrouve
pas c'est que je suis mort, et j'ai aussitôt adoré
cette phrase ; il a disparu dans les ruelles tièdes
en me laissant seule, affamée et comblée, alors
l'odeur de lait, l'odeur du sucre glace de mes six

ans, celle des diabolos menthe de mes onze ans, celle de mon premier sang à treize ans, ma douleur d'avoir vécu cela seule, l'odeur du kir cassis derrière mon oreille à quinze, dans mon cou, comme un parfum, une goutte de maman, bien cachée, puis plus tard celle des premières cigarettes et des premiers baisers, tout glissa sur moi, coula comme une rivière sur le trottoir : j'étais neuve soudain, une neige immaculée ; j'avais trouvé un feu et il m'a semblé que je n'aurais plus jamais froid, et je me suis mise à rire, un rire de nouveau-né, une épiphanie.

André, donc.

Un ravissement. Une pierre qui change le cours de l'eau.

Il m'a retrouvée quinze jours plus tard chez Discorde où je venais d'acheter quelques quarante-cinq tours. Cette fois, il m'a proposé de boire un verre. Nous sommes entrés dans l'un des cafés de la Grand-Place en milieu d'après-midi, nous en sommes sortis au cœur de la nuit, après toutes ces heures à nous raconter nos courtes vies, banales et flamboyantes.

Sa famille.

Des cultivateurs, dans le Cambrésis. Vingt hectares de culture fourragère. Quelques bêtes. Des nuits de peu d'heures, des mains usées, des ongles noirs, comme des griffes, la peau tannée, un vieux cuir craquelé. Jamais de vacances, jamais de premier mai parfumé au muguet ; la terre, toujours, la terre exigeante, capricieuse ; et la mer, une fois, une seule, pour mes sept ans, a-t-il précisé, mais pas vraiment la mer, une plage plutôt,

celle des Argales, à Rieulay, du sable fin au bord
d'un lac artificiel sur un ancien terril ; mes parents
n'avaient pas voulu me décevoir : ils avaient dit
qu'il n'y avait pas de vagues ce jour-là, une histoire
de lune, de planètes, je ne sais plus, et je les avais
crus, bien que l'eau ne soit pas salée, ah ça ! disait
mon père à propos du sel, ça dépend des courants,
des marées et même de la lune, André, c'est très
compliqué, tu sais, tout ce bazar, et plus tard j'ai
compris qu'ils avaient voulu m'écrire une histoire
unique, m'enseigner que l'imagination fait advenir
tous les voyages, exhausse toutes les enfances. Ils
ne se plaignaient jamais, ni du gel ni des pluies qui
pourrissaient tout ; ils sillonnaient et façonnaient la
terre comme des sculpteurs, comme des amants ;
ils lui parlaient, ils la remerciaient les jours de
grandes récoltes, la consolaient lorsque le froid la
fendillait et la gerçait ; ils aimaient que le temps
marque les choses. Ils attendaient les printemps
comme on attend un pardon. On leur a fait croire
à des chimères, à la récompense un jour, au salut et
aux médailles, pour avoir donné leur vie à la terre,
on leur a prêté de l'argent, au nom de la PAC qui
allait faire d'eux des hommes riches, des hommes
fiers, oui, on leur a prêté beaucoup, à eux et à
d'autres, comme on prête à plaisanterie, et puis les
banquiers plus tard sont revenus, voraces, ils ont
exigé leur argent, anéanti des familles entières, rasé
des arbres généalogiques ; les résidences secon-
daires grignotaient les terres telle une tumeur, les

Français voulaient désormais des jardins, des potagers, des piscines en plastique pour occuper leur temps libre, des barbecues ; l'armée cherchait à récupérer les terres du Larzac, et les paysans sont devenus les méchants, les empêcheurs de tourner en rond, on parlait des soldats américains qui rentraient brisés du Vietnam mais on ne voyait pas nos amputés à nous, nos déshérités ; quelque chose s'est alors éteint dans les yeux de mes parents et le jour de mes seize ans mon père, avec gravité, m'a demandé de partir ; il ne croyait plus à la terre qui déchiquetait les gens au lieu de les nourrir.

J'aimais les mots d'André, sa poésie brutale et douce. Il n'y avait aucune colère en lui, juste une résignation devant l'évidence – et le regard triste de Gene Kelly. La société changeait, c'était tout. On ne connaissait pas d'hommes capables d'empêcher ça. Même ton Luther King a été assassiné, a-t-il dit. Les rêveurs ne changent pas le monde, ils le rêvent et voilà.

Nous avons commandé d'autres boissons. Puis j'ai parlé à mon tour.

Mes parents. Le bancal et l'envolée. Le vitrier et la danseuse. Une enfance aimable – à peine deux pages dans un livre. Et puis la Taunus ocre. Le vide et le froid. Long John Silver qui essayait d'être une maman, mais qui parlait trop peu pour cela, qui ne savait pas coiffer une jeune fille ni l'habiller, lui dire qu'elle était séduisante ou lui apprendre à apprivoiser *la douleur du grandir*. On peut avoir dix pères, on n'a jamais qu'une mère, et lorsqu'elle part on est amputée d'une chose pour laquelle il n'existe aucune prothèse.

Mes études de lettres enfin ; cette vie d'étudiante, concrète et illusoire à la fois, ces nuits au Pubstore à s'enflammer contre les injustices du monde, alors que nous étions aveugles, et sourds.

Nous étions des enfants gâtés – et gâtés déjà.

Cette nuit-là, tandis que je tentais de m'excuser de mon aveuglement auprès d'André, il a posé son index sur mes lèvres, sa peau était rêche, un papier de verre très fin ; à ce contact j'ai repensé aux mains de mon père, je lui ai parlé de ces mains larges et tailladées à cause du verre et des clous, des échardes, des outils, des objets qu'il ramassait sans précaution et de ceux qu'il cassait avant, alors André a souri et il m'a semblé que je venais d'un lieu pas si éloigné du sien.

J'ai quitté la ferme le jour de mes seize ans, j'ai travaillé le bois, appris la charpenterie, et bientôt, je serai compagnon.

Compagnon.

Le mot m'a bouleversée.

À dix-neuf ans, j'étais comme toutes les filles de mon âge.

Nous étions pour l'avortement, pour la liberté des mœurs et du sexe. Nous portions des robes bohème, des pantalons pattes d'eph, des jupes midi, des blouses fluides, des imprimés floraux ou psychédéliques, des cuissardes, des chaussures plateforme : c'était notre uniforme de guerrières de la Paix et de l'Amour.

Nous étions des Birkin et des Joplin, des Cher et des Fawcett.

Je venais de passer en deuxième année de lettres. Au programme : récit ethnographique/récit litté-raire, Chrétien de Troyes en littérature médiévale, anglais, latin, et Proust à venir. Je ne voyais André que le week-end, et encore, lorsque je ne rentrais pas chez nous où papa, à cause des filous qui visi-taient les nouveaux pavillons lorsque leurs proprié-taires étaient au travail, avait élargi son activité à la pose de portes blindées et autres serrures répu-tées incrochetables, mais les réputations, Martine, ça veut pas dire grand-chose, marmonnait-il en souriant, ça permet juste de causer et de faire passer la douloureuse.

Michel avait lui aussi quitté la maison, non pas pour suivre des études, mais pour s'installer avec quelques copains. Ils vivaient chez l'un d'eux, retapaient de vieilles motocyclettes qu'ils avaient récupérées dans les fermes alentour, une BSA Gold Star, une Trophy TR6 ; ils se prenaient pour Johnny Strabler, Harry Bleeker et Chino de *L'Équipée sauvage* et gagnaient une notoriété de mauvais garçons ; ils plaisaient aux filles de ferme qui rêvaient d'embrasements et attendaient d'être emportées dans le tonnerre des échappements de motos, des filles qui voulaient vivre vite, dangereusement, loin de la terre qui les étouffait, loin des bêtes dont l'odeur, à force, devenait la leur – une malédiction dans les bals, dans les fêtes des soirs de récolte.

Papa semblait heureux avec Françoise. Il n'y avait pas entre eux, je l'ai dit, cette passion comme avec maman, cette incandescence, mais une amitié rare, une complicité de chaque instant. Avec elle, je le voyais rire comme jamais je ne l'avais vu rire, un rire du ventre de la terre.

Il ne buvait plus d'alcool.

Quelquefois, il emmenait Françoise au bord de la mer, vers Bray-Dunes, Zuydcoote, il lui disait regarde comme c'est beau, regarde comme nous sommes petits, et elle glissait son bras sous le sien, posait sa tête sur son épaule et soupirait.

Avec les années, Long John Silver était devenu un homme tranquille. Il avait laissé maman partir, il avait cessé d'en vouloir aux films de cinéma, aux automobiles ocre, il avait laissé sa colère s'envoler, même si, de temps en temps, quand son moignon le travaillait, il servait encore un kir cassis et le posait là, sur la table.

Il n'est pas de chagrin d'homme qui ne puisse devenir une source d'amour.

Mes vingt ans arrivèrent.

Je me souviendrai toujours du cinq avril de cette année-là : Brigitte Bardot venait d'annoncer à *France-Soir* qu'elle arrêtait le cinéma ; au débotté, nous avons organisé le soir même une fête d'adieu au Pubstore. Nous nous sommes toutes vêtues d'un body noir, d'une jupe verte, serrée, fendue, comme un sillage pour les yeux, un chemin pour les mains des hommes, les fièvres, et nous avons dansé sur son mambo envoûtant, vénéneux ; au cœur de la nuit, un garçon a embrassé mon cou, mes lèvres et je l'ai laissé faire, un peu ivre ; nous étions toutes Bardot cette nuit-là, magnifiques et fatales, et les baisers des hommes étaient des compliments. Des bouquets.

Je suis rentrée à l'aube, épuisée, poivrée.

André m'attendait dans ma chambre d'étudiante. Il avait vingt-six ans. Il m'annonça qu'il allait partir accomplir son tour de France en tant qu'aspirant, puis faire son chef-d'œuvre et, plus tard, devenir enfin compagnon.

Mes vingt ans eurent alors un goût de sel.

À vingt et un ans, je suis née pour la deuxième fois.

Mes cheveux avaient repoussé, je m'étais fait couper le même carré que Romy Schneider, mais surtout, j'avais troqué mon prénom de Martine pour celui de Betty.

Je lui trouvais une consonance anglaise qui me plaisait bien, un côté chanteuse folk, et sa signification m'enchantait : « Les Betty sont des femmes tendres, sentimentales, émouvantes et attachantes. Déterminées et optimistes, leur philosophie de vie positive les aide à surmonter les difficultés. Accueillantes et agréables, on se sent immédiatement à l'aise à leur côté. »

Long John Silver m'a regardée, sans rien dire d'abord, l'air contrarié, puis il a semblé se détendre, a tendu le bras pour caresser mes cheveux plus courts, mon front, mes joues, du bout des doigts, comme s'il cherchait à faire connaissance, et son visage s'est éclairé à mesure qu'il me découvrait, tu ressembles à une Betty, tu as raison,

tu es belle, ta maman serait fière de toi, et moi aussi
je suis fier de toi, Betty. Betty, c'est pas banal, ça.
C'est. Ça a de l'allure, quoi.

Papa me baptisait une seconde fois, m'accueillait
une seconde fois dans ce monde, et cela m'a bouleversée.

Martine est partie ce jour-là, une autre est arrivée, et c'est à elle, ce jour-là, que papa s'est adressé
pour la première fois, laissant éclore ses mots, écla-
ter ces braises qui depuis des années lui brûlaient
la bouche.

— J'avais vingt-quatre ans, Betty, à peine plus
que ton âge, et les mêmes rêves sans doute, mais
j'avais été affecté au troisième bataillon du neu-
vième RIMA, responsable du service d'action psy-
chologique, cinquième bureau, secteur de Bordj
Ménaïel, en Grande Kabylie, une terre de mon-
tagnes, de plaines littorales et d'hommes fiers.
Papa s'est tu un instant ; c'était la phrase la plus
longue que je lui avais jamais entendue. Il a semblé reprendre son souffle, puis a poursuivi, d'une
voix plus mate. On les a tous torturés. Les enfants
devant les mères. Les mères devant les hommes.
Les hommes devant les fils. Gégène sur la langue,
les paupières, les tétons, le sexe. Je vomissais en
les regardant vomir. Je hurlais avec eux. Je deve-
nais fou. On devenait tous fous. Puis l'horreur est
devenue fascinante. Une drogue. Une fange. On
se souillait avec rage. Un matin, un enfant s'est
enflammé, comme une allumette. Une petite fille,

huit ans. Ses cris. Toute la puanteur. J'ai sorti mon arme de son étui, je l'ai retournée contre moi, des gars riaient, l'un d'eux s'est précipité, je suis tombé, le coup est parti en l'air, je suis resté vivant, et on m'a déplacé à Palestro. Les hurlements de la petite ne se sont jamais tus. Quand je suis rentré, gambille arrachée, yeux injectés, ta mère a eu une minuscule grimace de dégoût, d'effroi ; et tout a été fini.

J'ai alors pris papa dans mes bras, mais c'est le garçon à peine plus âgé que moi que je réchauffais.

Je recevais régulièrement des lettres d'André.

Après avoir exploré l'étonnante structure des halles de Questembert, seizième siècle, étudié celle du cellier, du dortoir des convers du clos de Vougeot, des pièces avec mortaises à tiers-bois et rainures, des madriers centraux équarris à l'herminette – du chinois pour moi –, il avait réalisé une copie de la célèbre cloche de bois de la cathédrale de Bourges, qu'on appelait aussi simandre, tartavelle ou Balthazart, puis il s'était établi dans le Jura pour y travailler pendant quelques mois les différents bois de charpente : le sapin blanc du Nord, un bois tendre et homogène, l'orme de montagne, le chêne, le châtaignier, très proche du chêne, m'écrivit-il, mais sans aubier, et d'une coloration plus rouge. Il ne parlait pas d'amour mais d'arbres, d'aisseliers, de goussets et de sablières ; il ne parlait pas de retrouvailles, mais de maisons, d'écluses, de ponts, et je comprenais, au travers de ses délicats inventaires, qu'il traçait un chemin qui nous reliait, une sorte d'évidence patiente, qu'il construisait un amour solide, taillé pour toute une vie.

Il aimait que le temps imprime les choses et je l'aimais aussi pour cela.

J'avais vingt et un ans, l'âge exact où maman avait dit oui à papa, un vingt-huit juin à Roubaix, dans la chaleur, l'euphorie de l'arrivée de la quatrième étape du Tour de France, Rouen-Roubaix, deux cent trente-deux kilomètres, de la sueur, des cris, des pavés, et au bord des routes la fierté des hommes, l'aménité des femmes ; au *finish* un Français, Pierre Molinéris, l'avait emporté en six heures vingt-trois minutes et dix-neuf secondes, et un autre tricolore portait le maillot jaune ; alors, l'homme qui avait encore deux jambes embrassa pour la première fois celle qui allait lui dire oui, sa jolie voisine, et ce baiser surgit dans l'allégresse, les vivats de la foule, pour s'achever en vie qui bascule ; mes parents s'étaient rencontrés ce jour-là et plus jamais quittés, c'est l'Algérie qui les a séparés, qui les a arrachés à l'éternité promise en arrachant une jambe à l'un d'eux, c'est la guerre toujours qui broie l'immensité des possibles, ratiboise l'infini de l'amour ; et moi, au même âge de braises que maman, je désirais, mais un jour, pas tout de suite, vivre avec quelqu'un ; je désirais une histoire simple, une de celles qui ne font pas les livres mais la vie ; je rêvais de paix et de temps, je rêvais de lenteur, je voulais grandir encore, m'épanouir auprès d'un compagnon comme à l'ombre

tiède d'un arbre, je voulais des enfants, des odeurs
de chocolat chaud, des toises plus tard aux cham-
branles des portes des chambres, des dessins maladroits ; je voulais vieillir auprès d'un homme bon,
patient, et puis un jour être grand-mère, devenir
ces deux petits vieux que l'on croise parfois dans
un parc, sur un banc, qui se tiennent la main et
dont les beautés ont déteint l'une sur l'autre ;
j'avais choisi André, je crois ; j'aimais ses mains et
ses mots ; j'aimais qu'il ne soit pas étudiant comme
ceux que je fréquentais alors, rêveurs, révoltés,
beaux parleurs ; j'oscillais entre ce monde où la vie
se décrivait sans vraiment se vivre, et la promesse
d'une vie que les mains d'un homme façonneraient
comme une glaise.

Notre histoire s'ébauchait comme le titre d'une
nouvelle de Paulhan.

Progrès en amour assez lents.

Maman avait aimé les livres, et je les aimais à mon
tour en mémoire d'elle, ainsi que l'art, la photographie, le cinéma – elle avait même figuré dans deux
films ; elle avait été un papillon frôlant la lumière,
elle avait connu des vertiges, quelques abîmes, mais
elle n'avait jamais osé cet envol qui l'aurait éloignée
de tout, de moi, de Long John Silver, elle s'était
toujours rendue, les joues enfiévrées, aux mains
râpeuses du vitrier qui regardait la vie au travers des
vitres comme elle la regardait au travers des écrans
de cinéma, toujours rendue à cet homme brut
et complexe, parce qu'il était de ceux, rares, qui

connaissent la chair des choses, le poids des vents et savent vous dessiner un royaume.

Mon père avait été cet homme-là avant l'embrasement d'une petite fille.

André aussi était fait de cette poésie.

À vingt et un ans, j'ai compris que j'étais comme ma mère – sa jumelle, dans ma reddition.

Je répondais à André par de longues lettres ; je lui parlais de mes lectures, des soirées folles au Pubstore, d'un concert des Pink Floyd que nous étions allés voir à Paris en février, un retour épique, j'avais pensé qu'il n'aurait pas aimé cette musique-là, cette étrangeté-là, lui qui, dans le Jura, caressait les arbres, apprenait leurs noms et reconnaissait les vents à leur souffle dans les feuillages ; je ne lui parlais pas d'amour non plus.

On ne parle pas de fruits à quelqu'un qui a soif.

J'ai eu, dans notre éloignement, une brève aventure avec un professeur de dessin, un piège à filles, celui qui vous assure que vous avez le charme d'un *modèle*, l'élégance d'un portrait de Raphaël, une merveille, une huile de 1508 ; cela m'a fait rire, vous me prenez pour une très, très, vieille jeune fille ; non ! je vous promets, vous avez, vous, cette beauté qui ne se fane pas, c'est étrange, Betty, très étrange ; il m'a éveillée à une sexualité plus crue, que j'aimais aussi, il a attisé des parties de mon corps jusqu'à la brûlure, il fut un amant parfait.

Quelques semaines plus tard, il a croisé un autre *modèle*, un Botticelli cette fois, une Simonetta

Vespucci, et nous nous sommes séparés bons amis.
L'époque était encore aimable, l'amour joyeux.

J'ai gardé une photographie de moi, de mes
vingt et un ans légers.

Le professeur de dessin ne s'était pas trompé.

Mais à vingt et un ans, on est aveugle.

À vingt-deux ans, j'ai trouvé un poste d'institutrice à Bapaume, à l'école Notre-Dame, et commencé une vie comme d'autres la finissent – chemisier blanc, jupe aux genoux, coiffure parfaite, une silhouette de vieille fille, un effacement poli, un ennui mortel.

À vingt-trois ans, nous nous sommes installés, André et moi, dans une maison coquette dont la charpente et les châssis de fenêtres étaient à refaire, à quelques kilomètres de la ferme de ses parents. Ils étaient partis, épuisés, ruinés, vivre à Valbonne, au soleil, dans un petit appartement – un balcon à l'ombre, sans plante, sans rappel des souffrances passées, juste un carrelage terre de Sienne stérile.

André avait réalisé son chef-d'œuvre : un pont couvert sur la Bouzanne, en amont de Saint-Gaultier, travaillé à l'ancienne, chevillé en bois, un pont de plus de vingt mètres de longueur, en chêne et châtaignier, et, d'aspirant, il était devenu compagnon.

Il m'a emmenée le voir un jour de pluie et j'ai été terriblement impressionnée, puis il s'est agenouillé, comme dans les romances : un garçon, une fille, un écrin de velours sombre dans la main du garçon, un sourire béat sur le visage de la fille.

À vingt-trois ans, j'ai répondu oui.

À vingt-trois ans, comme cinquante-trois millions de Français, j'ai aussi découvert la noirceur sans fond de certains hommes. Le crime de Patrick Henry. Le corps du petit Philippe Bertrand, enroulé dans un tapis, pendant plusieurs jours, dans une chambre de l'hôtel-restaurant Les Charmilles, rue Fortier, à Troyes. L'assassin déclara à la télévision que le criminel *méritait la peine de mort pour s'en être pris à un enfant.*

C'était à vomir.

Et puis Robert Badinter.

Et puis le procès de la peine de mort.

À vingt-quatre ans, nous nous sommes mariés, André et moi.

La cérémonie fut simple, belle. Les parents d'André avaient souhaité une gentillesse de Mozart ou une joyeuseté de Vivaldi, et moi, une chanson de Roberta Flack. Nous nous étions mis d'accord pour Saint-Preux, *Le Piano sous la mer*, et tout le monde trouva cela parfait, à la fois profond et léger, comme un mariage en somme. Le frère de maman était là, bientôt ivre et morose, à son bras une autre fille qui ressemblait à une autre chanteuse à la mode, la vingtaine, un trophée blond qu'il exhibait sans pudeur. Marion, la grande amie de maman, était venue elle aussi, elle pleurait, me disait tu lui ressembles tant Betty, tu es si jolie, elle me manque toujours. Françoise portait un élégant tailleur crème, un chapeau fleuri dont les fleurs fraîches se fanèrent assez rapidement à cause de la chaleur, et papa avait loué une jaquette grise, très raffinée. Une nouvelle génération de prothèse lui permettait désormais de s'asseoir sans l'aide de ses mains pour plier la jambe et il pouvait enfin porter *une paire* de chaussures – Françoise exultait, commandait sans cesse pour lui des modèles italiens en cuir fauve, noir, on aurait dit qu'elle se vengeait d'années de cloche-pied, elle demanda même à André de fabriquer une armoire pour les vingt-sept paires de chaussures de Long John Silver, prévois pour cinquante, on ne sait jamais, minauda-t-elle, ce dont mon nouveau mari s'acquitta avec joie en utilisant un vieux chêne de Hongrie.

Lorsque papa et moi avons ouvert le bal avec la chanson des Platters, *Only you*, personne n'aurait pu soupçonner qu'il avait une jambe de moins, et j'ai lu dans son regard sa fierté à être un homme *entier* au mariage de sa fille.

Michel ne s'était pas joint à la fête, c'était le grand regret de Françoise : ne pas être une famille ce jour-là ; on fait un enfant, dit-elle, et il devient une tragédie, une honte de nous-même, quelle indignité, moi qui avais toujours pensé qu'être mère immunisait contre le malheur. En l'écoutant,

j'ai compris que Michel était venu pour faire souffrir comme d'autres viennent pour apporter la
paix ; son déséquilibre, d'une certaine façon, équi-
librait l'ordre du monde.

Il purgeait une peine de dix-neuf mois à la prison
de Lens, pour cambriolages. Il avait été surpris en
flagrant délit alors qu'il vidait les pavillons désertés
par leurs habitants partis travailler, s'y introduisant
en utilisant les doubles des clés des portes blindées
que papa y avait installées – papa fut d'ailleurs
suspecté, mais son innocence bien vite établie, ce
qui ne l'empêcha pas de perdre un certain nombre
d'affaires, mais Françoise, d'un optimisme à tous
crins malgré la sauvagerie, le chaos, l'encouragea :
tu aimes les vitres, lance-toi dans l'encadrement !
et c'est ainsi que quelques mois plus tard, il ouvrit
une boutique, Mise en Cadre, rue Desvachez, qu'il
y encadra nos photos de mariage, puis, l'année de
mes vingt-cinq ans, celles de Sébastien, mon fils,
qui naquit dans le sang et les cris.

Dieu que maman m'a manqué ce jour-là.

J'aurais rêvé qu'elle soit à mes côtés, qu'elle me
tienne la main, me rassure, m'encourage et hurle
avec moi, car elle aurait hurlé avec moi, je le sais,
elle aurait haleté à mon rythme, elle aurait eu chaud
et froid, elle m'aurait appelée mon bébé une dernière fois, mon bébé, ma petite fille, et je l'aurais
été une ultime fois avant de devenir une maman à
mon tour, avant d'avoir peur pour toujours, peur
d'un moustique qui vole trop près de lui, d'un

chien curieux qui s'approche, peur de la scarlatine, de la mort subite du nourrisson, des microbes de la crèche, peur qu'il ne marche pas à un an, que sa courbe de croissance ne soit pas dans la moyenne, peur de ne pas savoir quoi faire, peur qu'il ne m'aime pas, peur de le décevoir – toutes ces peurs de mères qui sont autant de lieux d'amour.

À vingt-six ans, j'avais perdu les dix kilos engrangés pendant ma grossesse et même eu droit à un bonus : deux kilos de moins. J'ai eu la chance de n'avoir aucune vergeture – merci à la vendeuse des Nouvelles Galeries. J'ai retrouvé une silhouette gracieuse, la légèreté d'un premier mai ; je portais des minijupes à volant très à la mode, les hommes me souriaient dans la rue ; j'ai enfin quitté mon poste d'institutrice à Bapaume pour me consacrer à notre fils, parce qu'André était souvent absent, son savoir-faire était demandé sur de nombreux chantiers, la rénovation de la halle aux grains à Martel, la construction de la charpente d'une nouvelle église à Redon, ou la coque d'un Folkboat à clin de bois, dans le sud de l'Angleterre.

À vingt-six ans, j'étais la charmante maman d'un petit garçon d'un an, qui marchait déjà.

Une maman heureuse.

J'étais une femme seule, aussi.

Chaque retrouvaille avec mon mari était une joie.

J'aimais l'odeur de sciure dans ses cheveux, de fougères, de sève sur sa peau ; j'aimais l'impatience de ses larges mains qui me déshabillaient – arrachaient mes vêtements, plutôt ; j'aimais son appétit de moi, insatiable, ses soupirs, ses râles, sa façon de m'étreindre, de m'étouffer, de m'aspirer en lui comme un buvard l'encre, son talent à me faire perdre pied ; j'aimais sa conjugaison amoureuse. Il me contemplait, goûtait le temps qui passait sur mon visage, *ton attente de moi*, souriait-il. Il m'aimait et aimait notre enfant. Il lui apportait toujours de merveilleux jouets en bois qu'il taillait, sculptait et peignait lors de ses pauses sur ses chantiers. Il s'amusait avec son fils. Il lui parlait des forêts et du vent. Il lui apprenait les mots des arbres : *houppier*, *écorce*, *aubier*, *cœur* – oui, Sébastien, le même mot que pour celui des hommes. Il lui promettait des jours de pêche pour quand il serait plus grand, des cabanes suspendues, des bateaux pour dompter la mer, et notre fils le regardait comme on regarde un roi. Nous étions une famille bénie jusqu'au moment où il repartait.

Il se rendit cette fois à Saint-Denis-d'Anjou, pour aider à la rénovation de la charpente des halles. Je me découvris de nouveau enceinte quelques jours plus tard ; mais une nuit de mai où la France était dans la rue, où plus de deux cent mille personnes, des roses à la main, place de la Bastille à Paris, chantaient et dansaient, fêtant les retrouvailles avec leurs rêves de jeunesse et la rencontre avec un homme qui voulait *changer la vie*, la promesse de cet enfant glissa entre mes cuisses, poisseuse, sanguinolente.

J'ai tenté de retenir dans mes mains ce qui était lui et j'ai pleuré plus de larmes qu'il nous est donné d'en posséder.

J'ai été malade quelques jours mais n'en ai pas parlé à André, je ne lui en parlerai jamais – les hommes n'aiment pas penser que l'on peut mourir là où l'on a aimé –, mais à lui, mon bébé qui a décidé de ne pas vivre avec nous, je murmure parfois.

À vingt-sept ans, la douleur de cette nouvelle perte m'envieillit de nouveau. Et sans maman, on vieillit de travers.

Michel était sorti de prison. Il était très maigre et avait les yeux méchants, m'a raconté papa plus tard. Il était passé chez sa mère, avait demandé tout l'argent liquide qu'elle détenait, tous les bijoux, l'argenterie, l'avait menacée d'un cran d'arrêt. Papa s'était interposé. Le voleur avait donné un violent coup de pied dans sa prothèse. Papa était tombé. Sa tête avait heurté le coin d'une chaise. La peau de son front s'était déchirée – une soie qu'on arrache. Le sang avait dessiné des larmes. Françoise avait hurlé et son fils s'était enfui.

Avec le temps et mes nombreuses visites, la vendeuse des Nouvelles Galeries était devenue une amie.

Elle avait neuf ans de plus que moi, nous étions à l'âge où les différences d'âge ne comptent pas encore. Elle avait un nouveau jules, Fabrice, un gars bien cette fois, précisa-t-elle, la cinquantaine, solide, un photographe, portraitiste ; il m'a abordée dans la rue, il me trouvait *pimentée*, voulait que je pose pour lui, oh Jésus, quelle séance, quelle séance ! au fait, il aimerait te prendre aussi (gloussements), en photo je veux dire, il a un grand projet secret.

Elle était drôle, représentante enthousiaste de tous les nouveaux produits de beauté qu'elle recevait, je suis une *zone test*, s'amusait-elle. Un jour, elle essaya des faux-cils qui lui provoquèrent quelques méchants orgelets qu'elle dut frotter avec le cœur d'un ail frais pour en venir à bout ; un autre, un autobronzant lui donna un teint de carotte bouillie, j'ai l'air con, non ? on dirait Bécassine chez les bécasses. Odette était lucide, on a la tête qu'on a, alors je dégrafe un peu, les hommes

baissent les yeux et le tour est joué. Odette riait et
son rire était beau. Elle aimait la vie, elle aimait sa
vie. Sans jalousie aucune, sans cynisme. Elle voulait
que ses clientes soient heureuses. Tiens, me dit-elle
un soir en sortant de son sac une nouvelle crème
de soin, c'est pour toi, pour ta peau de bébé, elle
maintient l'équilibre de l'épiderme, récita-t-elle,
retarde l'apparition des rides et préserve beauté
et jeunesse ; regarde, c'est écrit là. Crème stabili-
sante. De Guerlain, *ma chère*. Faudrait pas que tu
changes, ma Betty, t'es si parfaite.

À vingt-huit ans, bientôt vingt-neuf, ma perfec-
tion avait creusé quelques rides au coin de mes
yeux. Des rides invisibles.

À trois ans, mon fils Sébastien se prélassait
encore un peu dans « l'âge du non », sauf avec
son grand-père. On aurait dit deux gamins possé-
dant leur propre langage, sans mots ni conjugaison, juste un même sang ; on aurait dit que papa
mesurait enfin la joie d'un nouvel enfant, cette
incroyable promesse, lui qui n'en avait plus voulu
après l'Algérie, dans ce monde qui dépeçait sa pro-
géniture comme la truite les alevins. Il aimait à le
garder auprès de lui des après-midi entiers, et mon
fils restait là, à portée de bras. Il ne courait pas,
ne s'enfuyait pas comme avec les autres adultes.
Il pressentait l'homme diminué, lui apportait les
choses.

Il réduisait les distances du monde.

— Essaie de ne pas sourire.

À trente ans, je suis devenue un *modèle* du grand projet photographique de Fabrice, à l'intitulé cérémonieux : *Du temps.*

Depuis vingt ans déjà, il photographiait des modèles chaque année, à date fixe ; un jour, expliquait-il, je ne sais pas encore quand, j'en ferai une somme sur le temps qui passe sur les visages. C'est fascinant, la jeunesse, c'est un aimant, et si douloureux lorsqu'elle s'enfuit. Le premier avec qui j'ai commencé avait douze ans, il en a trente-deux.

Il m'a montré les vingt clichés à la suite. Le temps allait bien à cet homme. Il passait sur lui en douceur, comme une eau.

Un autre visage. Une femme. Neuf images. En neuf ans, le temps avait fissuré sa peau, cerné ses lèvres de petits barbelés, creusé ses joues, mais n'était pas venu à bout de l'éclat de son regard. C'était saisissant.

Un troisième. Une jeune fille. Quatre photographies. Sur l'avant-dernière, une cicatrice fendait le visage sur toute sa hauteur, déformait la bouche. Accident de moto, a soufflé Fabrice. Sur la quatrième, la désolation.

— J'espère que le temps y fera naître de la joie, ai-je murmuré.

D'autres visages encore, sur lesquels le temps, plus ou moins long, redessinait la cartographie des émotions.

Un visage très vieux, soudain. Deux images seulement. Entre les deux, peu de différence, juste la lumière qui décline, le gris qui s'assombrit, l'inéluctabilité. Quatre-vingt-seize ans, a commenté Fabrice. Je pensais faire encore quatre photos de lui, aller jusqu'à cent ans.

Il m'avait convaincue de participer à cette aventure, tu ne fais pas ton âge, m'avait-il dit, c'est amusant d'essayer de saisir à quel moment tu le feras – et m'étaient revenus les mots de ce professeur de dessin et de sexe : vous avez cette beauté qui ne se fane pas, Betty, c'est étrange.

— Essaie de ne pas sourire.

Et je n'ai pas souri.

Je regardais sa main qui virevoltait autour de l'objectif, ainsi qu'il me l'avait demandé. Nous faisions des essais avec les cheveux attachés, les cheveux détachés, le col de chemisier ouvert, fermé ; tu garderas précieusement ce chemisier, je veux celui-là chaque année. Cela m'a fait sourire.

— Essaie de ne pas sourire.

Et je n'ai plus souri.

Plus tard, il m'a montré l'image qu'il aimait et qui allait être la référence pour les prises de vues à venir – je n'ai pu m'empêcher de penser au portrait de Peggy Daniels, par Avedon, un noir et blanc d'une élégante crudité, une présence inattendue. Je me suis trouvée belle.

— Merci.

Mais les photos ne montrent pas tout.

À trente ans, mon visage avait encore une douceur d'enfance, des rondeurs de madeleines
– comme ceux de Kim Basinger, Ornella Muti et
Isabelle Huppert, qui avaient le même âge que
moi ; cependant, commençaient à y affleurer ces
contours plus fins, plus aiguisés, qui allaient tra-
cer mon visage de femme. D'après les photos,
je ressemblais à maman ; elle aussi avait eu cette
peau parfaite, le grain serré, ainsi que quelques
rarissimes rides au coin des yeux qui semblaient
prendre leur source dans nos rires. Elle avait eu
mon âge et n'avait pas imaginé, qui l'aurait pu ?
qu'il ne lui restait plus que cinq ans à danser.

Elle nous avait laissé sa beauté inaltérable – un
rêve de femme.

À trente ans, j'étais heureuse avec mon mari qui
passait désormais quinze jours par mois avec nous.
Il s'apprêtait alors à un voyage de quatre mois, en
Italie, pour parfaire son statut de compagnon. Il
allait travailler auprès de Pierluigi Ghianda, que
l'on surnommait « le poète du bois », à cause de sa

passion pour cette étonnante matière vivante, *qui ne meurt jamais, même après des centaines d'années.* André resplendissait à l'idée de cette rencontre. Il contemplait ses mains, comme il contemplait notre fils dans son sommeil, et parfois moi ; il disait : elles n'ont pas encore tout dit, Betty, pas encore, je sais qu'il leur reste de belles choses à écrire, je ne sais pas encore comment, pas encore quoi, mais je le sais. André rayonnait dans son impatience. J'aimais que ses mains découvrent lentement l'harmonie du monde, qu'elles le cultivent, comme celles de ses parents avaient cultivé la terre, et façonnent son âme.

Et puis, moi, je les aimais ces mains. Je les aimais sur moi.

Elles m'incendiaient.

Elles me manquaient aussi.

Pourquoi ne prendrais-tu pas un amant, me suggéra Odette un soir que nous dînions toutes les deux dans une nouvelle brasserie ; kir royal de bienvenue offert – *à la tienne, maman, à la tienne, Betty* –, dîner de filles, un peu trop arrosé. Moi, je ne pourrais pas passer seule autant de nuits, quelle horreur, il me faut tout le poids d'un homme sur le corps, des doigts impatients, un peu filous, une langue fraîche, comme un orvet, qui vrille ma peau, farfouille ma parenthèse. J'ai failli cracher ma gorgée de vin. Tu es folle, Odette ! Mais pas du tout, *ma chère*, je dis les choses comme elles sont, c'est tout, les hommes sont notre plus belle

conquête, la leur, c'est le cheval ! Nous étions déjà
bien parties. Des regards d'hommes se posaient
sur nous, sur elle, sur sa bouche. Mais je ne suis
pas une sainte, ai-je protesté à voix basse, j'ai eu
des aventures, dont un professeur de dessin qui.
Elle m'a interrompue. Avant, Betty, c'était avant.
Moi, je te parle de maintenant, maintenant que
ton charpentier caresse d'autres bois, qu'il furète
dans d'autres feuillages. Mais qu'en sais-tu ? Ah,
ma chère, parce que tu crois qu'un homme qui part
quatre mois sur un chantier, en Italie où toutes
les femmes sont affriolantes, n'a pas d'envies ?
Demande aux épouses de marins ou de routiers ;
les hommes, il leur faut des impasses, nous, il nous
faut de l'amour.

Les deux tiramisus sont arrivés, nous avons
commandé un autre pichet de vin, un vingt-cinq ?
a demandé le serveur, un cinquante, et Odette a
poursuivi, toi, avec ta jolie gueule, Betty, ton teint
de pêche, tes joues lisses comme des fesses, tu
charmes n'importe qui en deux secondes, même ce
salaud de Fab, ah le salaud, quand il m'a dit qu'il
te trouvait *dingue à photographier*, je l'aurais foutu
dehors, tiens, dégage ! Elle a reposé son verre, mais
qu'est-ce que tu veux, je suis faible, Betty, il me
rend tout chose avec son visage d'ange, ses mains
de voyou, ses yeux d'amour après mes gâteries, son
petit compliment à chaque fois : tu fais les meil-
leures pipes du monde, Odette ; faut bien que moi
aussi, à défaut d'être belle comme toi, j'aie quelque

chose qui les rende fous, non ? et nous avons éclaté de rire – moi pivoine, j'avoue.

À sept ans, j'avais vu les vertiges de ma mère, la désolation de mon père, et je m'étais promis, si un jour j'en formais un, que mon couple résisterait aux silences et aux colères, *à la plaie et au couteau, au soufflet et à la joue* ; alors non, Odette, je ne prendrai pas d'amant ; je n'aurai jamais froid dans le lit où André ne dort pas parce qu'il est en train de découvrir le monde, parce qu'il creuse avec ses mains cette mine en lui ; et non, je n'ai pas pris d'amant, Odette, parce que l'amour est aussi dans l'attente et dans l'espace, dans la patience et l'émerveillement.

Parce qu'il *est*.

Le jour anniversaire de mon premier portrait, Fabrice a fait le deuxième.

Il avait installé le même fond de papier blanc perlé, la même lumière, élégamment crue. Je portais le même chemisier. J'ai pris la même pose qu'un an auparavant : cheveux détachés, chemisier entrouvert, deux boutons, mains posées sur les hanches, sans sourire, mais les lèvres espacées d'un ou deux millimètres, le regard juste au-dessus de l'objectif.

Clic-clac.

Fabrice a comparé les deux images, il les a parcourues longuement avec son compte-fils.

Et j'ai pressenti que quelque chose n'allait pas.

Nous avons célébré à la maison le retour de mon mari, revenu aminci et bronzé d'Italie.

J'avais préparé ce que maman avait eu le temps de m'apprendre. Goyère. Rôti de bœuf – *saignant, Martine, saignant, sinon c'est de la semelle* – parfumé de laurier, de thym, persillé d'ail. Tarte aux spéculoos. Papa s'était occupé des kirs et André du vin – il avait rapporté quelques agréables bouteilles de San Gimignano et Montepulciano. Nous avons trinqué à tout ce qui nous manquait : une maman, une épouse, une jambe, et un fils, ajouta Françoise, un instant abattue, un petit qui aurait poussé comme un arbrisseau, bien droit vers le ciel, fier et d'une belle sève, et non pas en racines tortueuses, comme une pieuvre dans le ventre de la terre. Papa l'a serrée contre lui, lui a dit tout bas que son petit-fils était désormais le sien et que moi, sa fille, j'étais désormais la sienne. Long John Silver partageait les malheurs et les joies. À table, André raconta les beautés italiennes ; les *piazzette*, les églises, la désinvolture des femmes, le chic des hommes, et ses yeux brillaient. À l'issue de ces quatre mois d'études auprès de Pierluigi Ghianda, sa décision était prise : il allait créer des meubles, tordre le bois comme jamais on ne l'avait fait, repousser encore ses limites ; il rêvait d'un voyage en Scandinavie, en Suède ou au Danemark, pour y étudier l'audace des Jacobsen, Aalto et autres Wegner, Møller, et nous le regardions, émerveillés. André parlait une langue étrangère, celle de la passion. Et je l'aimais pour cela aussi, lui, le fils de cultivateurs qui voulait embellir le monde et que ce rêve embellissait ; lui que j'avais jugé, le jour de notre rencontre, dans le tumulte de mes dix-huit ans, ni le plus beau de tous les garçons ni le plus laid ; lui, dont j'avais aussitôt adoré les yeux aimablement tristes, qui m'avaient regardée entrer dans sa vie. Treize ans avaient passé si vite. Notre fils aurait bientôt six ans ; encore petit, déjà grand ; école primaire, début de la lecture, de l'écriture, du calcul ; comprend l'idée d'hier et celle de demain, selon son carnet de correspondance, même s'il préfère le présent ; mon fils et ses nombreuses questions sans réponses : pourquoi les animaux ne sourient pas ? pourquoi il pleut ? pourquoi je n'ai pas un frère ou une sœur ? À cette question mes mains ont tremblé, il m'a semblé que mes doigts se liquéfiaient – une matière visqueuse, écarlate.

Sébastien s'était endormi sur le canapé, il avait essayé de tenir longtemps *avec les grands*, de suivre les conversations, tu m'emmèneras en Italie, papa,

et en Candinovie ? Il avait une pâleur d'ange lorsqu'il dormait en paix ; et je savais que maman veil-
lait aussi sur lui.

Nous avons discuté longtemps cette nuit-là,
nous étions heureux.

Mais le bonheur, tout le monde le sait, est un
invité fantasque. Il quitte parfois la table sans pré-
venir, sans raison.

À sept ans, Sébastien mesurait cent vingt-deux centimètres, pesait vingt et un kilos et son tour de tête était de cinquante-quatre centimètres.

Comme maman, et d'une certaine façon comme Fabrice qui, avec ses clichés, cherchait à incarner le temps qui passe, je notais chaque année l'évolution de mon fils et me rassurais avec les statistiques. Mon mari se moquait gentiment : j'étais une crevette à son âge, Betty, et regarde-moi maintenant ; alors je le regardais, lui, si fort, et je savais que je l'aimerais toujours, dans sa présence comme dans ses absences ; qu'il était celui que j'avais choisi, et auquel les sourires parfois désarmants ou les mots troublants d'hommes croisés dans une rue, une brasserie, un cinéma, ne m'arracheraient jamais.

À sept ans, j'avais vu maman pleurer parce que la colère de papa n'était plus de l'amour. J'avais vu Long John Silver tanguer sur une seule jambe, les yeux rouges, l'haleine enflammée ; je l'avais vu essayer d'attraper maman pour la faire danser et j'avais vu maman se recroqueviller sur elle-même, à la manière d'un accordéon.

À sept ans, certains soirs, j'avais vu ses joues empourprées lorsqu'elle rentrait, j'avais vu le khôl couler, douleur liquide, dessiner des cernes sombres ; à sept ans, j'avais vu la souffrance des femmes ; j'avais vu maman glisser doucement des bras de Long John Silver, comme lorsqu'on s'efface, pour rejoindre d'autres ivresses dont celle, fascinante, de se sentir vivante.

À sept ans, Sébastien était capable d'attendre, avec calme et patience, il commençait à anticiper avec plus de réalisme un anniversaire, un rendez-vous, il entrevoyait la distinction du bien et du mal – le mal, c'est quand on se fait prendre, m'avait-il expliqué d'un air malicieux –, il prenait confiance en lui et devenait plus rêveur. Les absences d'André nous rapprochaient, nous prenions l'habitude de sortir à deux, comme maman l'avait fait avec moi, cinéma le mercredi, musée Matisse au Cateau-Cambrésis, ou musée d'Histoire naturelle le samedi ; je lui montrais les plus belles choses dont sont capables les hommes, leurs tourments apaisés, leurs clartés, leurs éblouissements ; par moments, ses questions me désarçonnaient : est-ce que c'est beau ce tableau ? Et c'est quoi, beau ? Un jour, au parc, il a vu une femme plus âgée que moi pousser un landau et m'a dit que ça ne devait pas être drôle pour le bébé d'avoir une maman aussi vieille, je lui ai demandé pourquoi

– parce que quand on est vieux, ça veut dire qu'on ne dure pas longtemps.

À presque trente-deux ans, parce que je voulais durer encore longtemps pour mon fils, je me suis inscrite à un cours de yoga. La professeur de yoga, Sādhu (Liliane-Berthe, de son vrai prénom), affirma, tandis qu'elle m'observait dans la curieuse et peu avenante posture du guerrier 2 – *virabhadrasana 2* –, que mon corps était celui d'une jeune femme de vingt-cinq ans.

Toutes les filles approuvèrent. Une seule gloussa – jalouse.

À presque trente-deux ans, alors que Sébastien entrait gaiement en CE1, qu'André, qui voyageait désormais beaucoup moins, avait loué une grange à quelques kilomètres de chez nous pour y travailler le bois et façonner ses envies, j'ai trouvé, grâce à mes études de lettres, un travail au service rédaction de La Redoute. Ce n'était pas du Anouilh, pas du Prévert, c'était bien loin des rêves de nos nuits enfiévrées du Pubstore où nous débattions jusqu'aux aubes des causes de la mort de Jim Morrison, de ce salaud de Nixon qui bloquait la lutte pour l'égalité des droits civiques, de la tragédie du Vietnam, en buvant, en fumant et en s'aimant sans amour, non, c'étaient juste des mots posés là, sous les images avantageuses qui présenteraient la mode printemps / été 85, les jupes coton, *fraîcheur des couleurs, culot des motifs*, les maillots de bain, dos nus, échancrés audacieux, matières modernes, le bikini. Au début, j'ai tenté d'apprendre des choses aux lectrices, le bikini donc, du nom de l'atoll américain où s'est déroulé un essai nucléaire, ce qui a donné à Louis Réard, son inventeur, l'idée de le lancer avec ce slogan : « Le bikini, la première bombe anatomique ». Par la suite, on m'a demandé d'être plus discrète avec mes connaissances, de les garder pour moi.

Cette année-là, nous fêtions les quarante ans d'Odette, son nouveau job : représentante exclusive d'une toute jeune marque de cosmétique, Odylique, *ma chère*, comme idyllique, pour toute la région Nord-Pas-de-Calais, douze mille cinq cents kilomètres carrés figure-toi ; nous fêtions la première chaise d'André, en palissandre de Rio, dont les accoudoirs, dans leur incroyable torsion, ressemblaient à de la lave, la chaise était une splendeur, au point qu'Odette voulut s'asseoir sur une autre chaise pour pouvoir l'admirer, et je fus fière de mon mari, fière de ce que ses mains avaient révélé ; nous fêtions les huit ans à venir de Sébastien, son entrée prochaine en CE2 ; nous fêtions Brigitte, du yoga, qui était enfin parvenue à la délicate position du grand angle – *prasarita padottanasana* ; nous fêtions Long John Silver et Françoise, soudés comme jamais ; et plus que tout nous fêtions notre immense joie de vivre, dans la grange d'André, dans la prairie, sur les chemins alentour éclairés de lampions, comme un bal de pompiers, alors qu'au même moment, à quatre cents kilomètres de là, on retrouvait le corps noyé de Grégory Villemin, quatre ans, disparu plus tôt dans l'après-midi, à l'heure du goûter, l'heure des enfants ; nous dansions dehors, gentiment ivres, et Sébastien, à qui son papa avait fait boire une minuscule gorgée de bière, s'est mis à voir des fées, et même Mickey, mais il n'en était pas tout à fait sûr, peut-être Clarabelle ; Long John Silver dansait aussi, il n'a pas fait tomber Françoise, et l'absence de maman me pesait cette nuit-là ; nous dansions, Peter et Sloane, Cookie Dingler, Star Sisters, André me serrait contre son corps solide, dans une odeur de bois et d'adiantes, un parfum de bonheur, il m'a chuchoté qu'il m'aimait comme au jour de notre rencontre, tes cheveux si courts, Betty, tes lèvres cerise et tes dix-huit ans tout neufs ; qu'il aimait toujours cette *lenteur* rassurante entre nous, ma patience ; et j'ai eu quelques larmes, mais je crois que c'était à cause du rhum dans la sangria.

Qui piquait les yeux.

À trente-deux ans, j'ai découvert Valbonne – sa place des Arcades, son ancienne abbatiale et son cirque Gruss le week-end du quinze août.

Mes beaux-parents avaient peu à peu vieilli, comme on s'éteint – à croire que l'absence de la terre sous leurs pieds, que l'absence des pluies, des vents, des grêles qui ruinent parfois une saison, une année, toute une existence, les avait desséchés. Il n'y avait aucune plante sur leur balcon, aucune fleur dans l'appartement, pas même en peinture, pas même en napperon. Ils s'étaient arrachés à leur ancienne vie, comme on extrait une tumeur en brûlant tout autour d'elle, et attendaient désormais la fin, sans accablement.

Nous sommes restés quelques jours auprès d'eux.

André a tenu à les emmener à la Fondation Maeght, à Saint-Paul-de-Vence, où il s'est émerveillé devant les Giacometti, Braque, Calder, Miró, et a eu des envies de fer et de bronze ; à midi, nous avons déjeuné à la Colombe d'Or : Picasso, Léger,

Soutine aux murs, loups de mer pochés, carrés
d'agneau rôtis dans les assiettes ; faut pas nous
gâter tant, a murmuré Renée, et André a posé sa
main sur celle de sa mère, une toute petite main
sèche et grise, un galet, qui a aussitôt disparu sous
celle, large, puissante, de son fils ; c'est grâce à
toi, et à papa, que j'ai de l'or dans les doigts, alors
laissez-moi vous remercier ; à cet instant leurs yeux
brillèrent et entre eux tout fut dit. Mon mari me
bouleversait davantage chaque jour. Il était un père
et un fils formidable, et moi, au creux de ses bras,
j'étais toutes les femmes.

J'étais tous les vertiges.

Nous avons passé un après-midi à la plage et
je n'ai pas aimé cet endroit. Sébastien ne pouvait
se baigner à cause des méduses ; il a fait des châ-
teaux de pierres avec son père, puisqu'il n'y avait
pas de sable – un donjon jusqu'au ciel, papa ! Plus
tard, il a rejoint Renée, sa glacière surtout, limonade fraîche et fruits sucrés ; André et moi nous
nous sommes échappés, promenés en amoureux à
la lisière de l'eau ; j'observais ces femmes à la peau
usée de soleil, flétrie, couleur caramel, texture de
cigare, brillance de chocolat, et d'autres, la peau
du visage tendue comme celle d'un tambour, tous
ces corps perdus dans l'illusion que la jeunesse
est la seule beauté possible, que le charme s'éva-
pore avec le temps. André m'a souri, malicieux ;
il m'a fait promettre de n'être jamais comme elles,
en échange il m'a promis de toujours me désirer

comme j'étais, comme je deviendrais en vieillissant, et nous sommes retournés auprès de ses parents.

Notre fils était en grande discussion avec son grand-père, il se faisait raconter la ferme, les saisons, les animaux. Il lui a demandé si leurs vaches avaient eu des noms. Parce que ça doit être triste de manger quelque chose qui a un nom. Le vieil homme lui a ébouriffé les cheveux : tu es bien comme ton père, toi, mais personne n'a mangé Églantine, Violette et Iris. Elles sont mortes de vieillesse à plus de vingt-deux ans, dans un grand champ plein d'herbe et de coquelicots, de boutons-d'or et de papillons, et vingt-deux ans, c'est long pour une vache, tu sais ! J'ai pensé à la chance que nous avions d'être là, ensemble, en vie, même assis sur des cailloux brûlants, même devant une mer infestée de pélagies, parce que rien ne dure et que c'est dans cette certitude que se trouve une clé.

À trente-deux ans, j'avais exactement la moitié de l'âge de Simone Signoret qui venait de s'envoler, le pancréas dévasté.

À l'automne, Odette se fiança à Fabrice – au moins j'aurai de belles photos de mariage, dit-elle en riant. André créa une chaise exceptionnelle pour laquelle il utilisa aussi du fer, bouleversé qu'il était par ce que Giacometti en avait fait pour son *Chien*. Sébastien entra au CE2, un vrai mannequin de La Redoute, et à La Redoute on applaudit mon travail pour le catalogue à venir, printemps / été 86, on me félicita de ne plus persiller mes *légendes produits* de considérations érudites personnelles, et surtout, on m'augmenta – j'allais pouvoir offrir à André son voyage en Scandinavie.

Au yoga, je maîtrisais désormais parfaitement les positions dites du triangle – *trikonasana* – et de la sauterelle – *salabhasana* –, et Sādhu (Liliane-Berthe, de son vrai prénom) s'émerveilla que son art, sur moi, fasse advenir une nouvelle jeunesse, avant de m'annoncer, d'une voix très douce, hôtesse de compagnie aérienne, que le prix de ses cours allait augmenter, à cause du chômage qui venait de passer la barre des neuf pour cent de la population active, mais de quoi parles-tu, Sādhu ? Attends, petit scarabée, j'ai une proposition à te faire : si tu acceptes de poser sur mon prochain flyer, je te laisse à l'ancien tarif ; mais pourquoi ? enfin, regarde-toi, personne ne te donnerait ton âge.

J'ai alors pris la posture *savasana* – dite du cadavre.

Le vingt-deuxième cliché le montrait à trente-quatre ans, toujours aussi beau, année après année – une beauté paisible, sans ombre.

Le onzième portrait de cette femme dévoilait maintenant son visage déchiré, la bouche cernée cette fois de ronces, mais toujours ce regard éclatant – sa victoire, me semblait-il.

La sixième photographie de la jeune fille accidentée révélait, autour de sa cicatrice, une douceur inattendue, comme une eau qui lisse un sable tortueux. La joie que tu avais espérée, me chuchota Fabrice.

Il y avait cette année trois nouveaux visages, trois nouvelles images.

D'abord, une fillette de deux ans, boucles blondes, pommettes brillantes, dodues, deux abricots, il avait fallu attendre qu'elle s'endorme pour faire un portrait qu'il pourrait reproduire tous les ans, et chaque année, à la même date, Fabrice attendrait son sommeil – j'ai trouvé cette idée si singulière, si folle.

Ensuite, un type rencontré dans un bar à sa sortie de prison, un visage détruit déjà, à trente ans, couvert de tatouages, comme des hiéroglyphes du malheur, un petit atlas de la chute ; j'espère qu'il jouera le jeu chaque année, m'a confié le photographe, pour cette photo, il m'a demandé mille francs, tu te rends compte !

Quant au troisième visage, c'était celui d'une jeune femme, elle avait un faux air d'Odette à vingt-cinq ans, les joues pommelées, laiteuses – alors j'ai eu peur pour mon amie.

Et puis moi ; mon troisième portrait, à trente-trois ans, et toujours le même fond blanc perlé, la même lumière qui avait rendu Peggy Daniels tellement hypnotisante sous le regard d'Avedon, le même chemisier blanc, que je ne portais qu'en cette occasion, cheveux détachés, mains sur les hanches, essaie de ne pas sourire, Betty, pas de sourire, le regard au-dessus de l'objectif, là, regarde ma main, mon doigt qui bouge. Fabrice a comparé ma pose avec celle des deux précédentes photos. Il est venu plusieurs fois me décoiffer – mes cheveux avaient poussé –, et a fini par obtenir ce qu'il voulait. Il m'a montré mon nouveau portrait ; bien sûr, il ressemblait aux deux autres et, en les regardant vite, on pouvait croire qu'il s'agissait de la même image. C'est le but, m'a-t-il expliqué, enthousiaste, comme dans les flip books composés d'une suite d'images presque identiques mais qui donnent une impression de mouvement dès qu'on les feuillette.

Cependant, ce semblant d'immobilité sur mon visage m'a procuré un léger malaise. J'ai pensé à la dernière photographie de maman, le Polaroïd que m'avait donné son amie Marion, près de vingt ans plus tôt, à son air enjoué, sa frange rousse, sa robe Cardin, maman si belle, immortellement belle, que plus rien du temps, des méchancetés du monde ou des lassitudes ne viendrait jamais altérer ; les morts ne vieillissent pas, m'avait-elle dit lorsque nous nous étions sauvées toutes les deux à Paris le temps d'un week-end, parce que à la maison la fureur de Long John Silver faisait s'envoler les chaises, les tables, tourbillonner la vaisselle. Et au Louvre, elle m'avait montré, chamboulée, ce tableau de Raphaël, *La Belle Jardinière*, appelé aussi *La Vierge à l'Enfant avec le petit saint Jean-Baptiste*. Regarde cette femme, Martine, regarde la pureté de son visage, c'est ce qu'elle nous laisse, elle ne sera jamais vieille, c'est bouleversant, il y a là quelque chose qui défie la mort, tu ne trouves pas ? J'avais onze ans, je n'avais pas compris qu'elle m'expliquait le chagrin des femmes, cette peur atavique du temps qui efface, transforme et dissout, jusqu'à faire disparaître tout ce qui avait été le charme, l'élégance, le désir, la vie même, sans rien laisser d'autre que des cendres, rien d'autre que l'effroi de la solitude à venir.

Dieu, que j'aurais préféré que maman soit ridée, griffée, scarifiée, mais qu'elle soit encore là.

Je n'aimais pas ce troisième portrait.

On aurait dit celui d'une dépouille – un visage qui ne change plus.

Impatienta doloris.

À trente-quatre ans, j'appris que c'était la raison du suicide mélancolique – autrefois nommé neurasthénie.

Mes trente-quatre ans avaient éclos au cœur d'un printemps triste, Dalida avait laissé un billet : « La vie m'est insupportable. » Dans la rue, des gens pleuraient, des mots jolis s'envolaient, d'autres retombaient, acerbes.

Françoise et papa ont fait le voyage à Paris, parce que pour Françoise, Dalida avait été une grande dame, et que si on ne dit pas merci à ceux qui vous ont donné de la joie, alors on n'est rien, rien que misère. Il faisait froid ce jour-là, une froideur de cœur déserté ; ils n'ont pu pénétrer dans l'église de la Madeleine ; au cimetière de Montmartre, ils ont dû attendre quatre heures, sur trois jambes, avant de pouvoir jeter de loin une rose blanche qui a été aussitôt piétinée ; et lorsqu'ils sont rentrés, épuisés, Françoise n'était pas en colère qu'il n'y en ait eu que pour les célébrités et rien pour les petites gens, pas un mot, pas un sourire, juste des barrières, comme pour les cochons ; c'est comme ça, a-t-elle dit, c'est tout, ça ne nous empêche pas d'avoir un cœur.

J'ai fêté seule mon anniversaire avec Odette parce que André était, depuis deux mois déjà, sur un important chantier dans le Bordelais – une charpente en cœur de chêne aux dimensions impressionnantes : soixante mètres de long, dix de hauteur, une forme de double coque de navire inversée, un chai, pour accueillir des grands crus. Je ne sais pas comment tu fais, *ma chère*, mais tu ne changes pas, m'a complimentée Odette à la seconde où elle m'a vue, tu as l'air d'être ta petite sœur si tu en avais une, ou alors c'est d'avoir un homme que tu attends, ça repose la peau. Je n'ai pas osé lui répondre qu'elle non plus ne changeait pas, car ses yeux et ses joues d'année en année se creusaient, son teint tournait au gris ; elle a senti ma gêne ; je crois que les milliers de kilomètres que je me tape en voiture me détruisent, putain de boulot de représentante, t'as pas idée, les nuits dans des hôtels pourris, les buffets de gare rances, les types qui te collent, pitoyables, comme ces chiots à la SPA qui couinent pour que tu les caresses ; et je les caresse parfois, Betty, je leur dis oui parfois, oui pour plus être seule, pour me sentir vivante, et jeune, et je m'en veux à chaque fois parce que Fab m'aime, qu'il est fidèle, il m'appelle sa princesse, il me remercie à chaque fois après mes gâteries de

princesse, oh, ça me donne envie de pleurer, de me
décaper au papier de verre, d'arracher ma honte ;
je lui ai pris la main ; et même si ma peau commence à pendouiller, là, dans mon cou, sous mes
bras, et je te parle pas de mes seins, saleté de loi
de la gravitation, il me trouve toujours belle ; belle
salope, oui. Belle salope. Fabrice et elle ne s'étaient
finalement pas encore mariés – c'est lui qui aimait
ces longues fiançailles, lui qui aimait que chacun
dise de l'autre, *c'est mon fiancé, c'est ma fiancée*, il
aimait que leur relation soit encore une promesse,
une espérance, et puis *fiancée*, ça fait rêver celles
qui ne le sont pas encore, a-t-elle ajouté vaincue,
surtout à mon âge.

À quarante-trois ans, elle travaillait toujours
pour Odylique ; quel nom de merde, Betty, t'as pas
idée : comme angélique ? demandent les femmes,
comme on nique ? demandent les hommes ; j'ai
envie de démissionner, tout plaquer, toute cette
merde, de vieillir auprès de Fab, de devenir une
petite mamie un jour, parce que quand on est
vieille, ce qui est beau, c'est d'être vieille, simplement.

Et je n'ai pu m'empêcher de penser à la jeune
fille qui lui ressemblait, que Fabrice photographiait.

André rentra le mois suivant, heureux comme un
marin qui a fait une bonne traversée et s'en revient
avec une bourse d'or, quelques trésors aussi, pour
notre fils et pour moi. Ce fut un soir, une semaine

de fête. Sébastien, sur ses genoux, lui demandait encore, raconte encore, et je regardais les deux hommes de ma vie avec une tendresse et un amour infinis, en priant pour que rien jamais ne vienne obscurcir cette félicité.

Plus tard, dans notre lit, je me suis offerte à mon mari comme je ne l'avais jamais osé, sans aucune retenue, sans aucune pudeur, je me suis livrée entière à ses doigts impatients, sa bouche affamée, je me suis rendue à ses désirs nouveaux et audacieux, et ses impétuosités ont fait de moi une esclave heureuse.

Mon demi-frère Michel et sa bande de voyous furent de nouveau arrêtés par la gendarmerie quelque temps après avoir remis au goût du jour le saucissonnage et la chaufferette chez un couple d'octogénaires auprès duquel ils s'étaient fait passer pour des policiers ; ils avaient sectionné trois phalanges au sécateur pour récupérer trois bagues, arraché deux lobes pour deux boucles d'oreilles, souillé toute la maison.

Françoise n'a pas réagi. Elle n'a pas crié. N'a rien cassé autour d'elle. Elle a simplement pris la main de papa. Elle lui a dit emmène-moi quelque part, quelque part où il n'y a que des belles choses. S'il te plaît. Et Long John Silver l'a prise dans ses bras, l'a serrée contre son cœur, et l'a emmenée en Toscane, au lieu du génie artistique des hommes et de Dieu, là où les champs ondulent sous le vent, comme la mer, où les allées de cyprès dessinent des chemins qui mènent au ciel, où la fraîcheur des églises fait sécher les larmes. Ils y sont restés longtemps, ont même visité des maisons à louer, à acheter – loin du bruit des motocyclettes et des bandes de mauvais garçons –, dans des villages où l'on pouvait laisser sa porte ouverte, le pain sur la table. Françoise soignait son désespoir de mère avec la beauté du monde, et, lorsque la lourde condamnation de son fils est tombée, elle n'a rien voulu savoir. Je ne suis pas la première maman à perdre un fils, murmura-t-elle.

Et j'ai vu papa pleurer.

— Magnifique ! s'est exclamé Fabrice lorsque je suis entrée dans son petit studio.

J'avais coupé mes cheveux la veille pour qu'ils soient comme sur les deux premières photographies.

J'ai revêtu mon chemisier, laissé les deux premiers boutons ouverts. Je me suis installée devant le fond blanc perlé, dans la lumière crue et élégante. J'ai posé mes mains sur les hanches. Je n'ai pas souri. Mes lèvres étaient entrouvertes d'un ou deux millimètres. J'ai regardé le doigt de Fabrice, qui bougeait, au-dessus de l'objectif.

Il y a eu le bruit du déclencheur.

L'éclair du flash.

La cinquième image.

À trente-cinq ans, ma vie a basculé.

TRENTE À TRENTE

Les cinq portraits étaient posés sur la table.

Cinq visages en noir et blanc. Le même. Le mien. Une image par an depuis cinq ans. Le temps qui passe si vite. Sébastien qui grandit. Long John Silver qui perd ses derniers cheveux.

C'est extraordinaire, a fini par dire Fabrice, regarde, regarde ! et j'ai su ce que je pressentais depuis un certain temps déjà, même si je n'en croyais pas mes yeux.

J'ai su le chaos qui s'annonçait.

J'ai su la joie et la sidération à venir.

J'ai su la chance et la damnation.

C'était fascinant et effrayant à la fois.

— Regarde, a répété Fabrice, c'est le même visage.

— Je sais.

— Je veux dire, le même, Betty, exactement le même.

Il a attrapé cinq films rhodoïd transparents sur lesquels il avait fait tirer mes cinq photos, les a superposés et dirigés vers la lumière.

— Regarde, à part l'inclinaison de la tête qui n'est pas strictement la même à chaque prise de vue, l'angle des bras qui diffère un peu, la coiffure aussi, c'est le même visage depuis cinq ans, Betty. C'est hallucinant. Le même. Le temps n'a pas prise sur toi. Ne te marque pas. La peau est la même. Le grain de la peau est le même. Aucune ride en cinq ans, aucun flétrissement. C'est superbe.

Odette a toussoté derrière nous. Elle tenait une bouteille de liqueur de poire à la main, ça aussi c'est *superbe*, a-t-elle dit, elle a huit ans d'âge mais c'est déjà une vieille, et elle a ri – un rire sans joie.

À l'âge où la jeunesse de maman s'était inscrite à jamais sur un dernier Polaroïd, où sa beauté avait été emportée par une Ford Taunus ocre, figée en vol comme un pinceau avait figé *La Belle Jardinière* dont on ne savait pas ce qu'elle était devenue après ce portrait et depuis cinq cents ans – le temps avait-il mangé son visage, dévoré ses yeux, broyé son cœur ? –, quelque chose pour moi aussi s'est arrêté.

Depuis l'âge de trente ans, je ne vieillissais plus.

Mon mari et notre fils dorment.

Je me lève, m'enferme dans la salle de bains. Assise sur le rebord de la baignoire, je regarde mon visage dans le grand miroir. Je touche, en tremblant, la peau de mon front bombé. J'effleure mes joues d'un doigt, cherchant les pommettes ; je presse mes lèvres ; je parcours le pourtour soyeux de ma bouche, mon menton, puis la lisière de mes mâchoires ; je passe une main dans mon cou, sur mes épaules, ma gorge, sur mes seins ronds, fermes – je me souviens avec tendresse de la façon dont Jean-Marc Delahaye, dans son impatience, les avait savourés dans sa chambre, sous le regard du pilote Giacomo Agostini punaisé au plafond, nous avions dix-sept ans et nous étions jeunes pour toujours ; je caresse mon ventre plat, sa peau tendue, satinée, mes hanches délicatement dessinées, mes cuisses longues, et pâles, merci maman, et des larmes me montent aux yeux, sans que je puisse les retenir. Me reviennent les remarques de Sādhu (Liliane-Berthe, de son vrai prénom), des élèves du yoga, d'Odette : tu ne changes pas, *ma chère*, du grand amant de mes vingt et un ans : vous avez cette beauté qui ne se fane pas, Betty, c'est étrange, très étrange ; j'avais pris cela pour des gentillesses, du miel à l'oreille d'une fille ; me revient cette promesse aussi, que m'avait faite André sur la plage de Nice au milieu des visages qui avaient perdu cette guerre, alors que je venais de lui demander s'il me désirerait toujours comme j'étais, comme je deviendrais en vieillissant : avait-il déjà perçu que je ne changeais pas, lui qui était capable de prédire avec précision l'arrivée des orages dans le ciel clair, de discerner une beauté à venir dans un tronc d'érable, lui qui caressait mon visage de ses mains râpeuses, comme on caresse une terre brûlée, et savait y faire renaître l'enchantement, y cicatriser les jours et les nuits sans lui – lui qui faisait disparaître la fragilité de l'attente et aimait ce que le temps révèle ?

Je regarde mon visage dans le grand miroir de notre salle de bains, et je souris.

Ainsi me voilà.

Voilà mon visage sur lequel comme une eau claire coule le temps. Mon visage, comme celui de *La Belle Jardinière*, au Louvre, qui a bouleversé maman, ses vingt ans tous les jours depuis plus de cinq cents ans ; ce visage éternellement jeune, et doux, et bienveillant, et lisse.

Me voilà monstrueuse et miraculeuse.

Me voilà le rêve de toutes les femmes.

Et je me mets à rire. À penser à cette joie qui sera la mienne désormais, celle de me découvrir chaque matin immaculée, de savourer sans fin l'ivresse de la jeunesse qui est la promesse de tous les possibles ; je vais connaître les rêves sans les réveils impitoyables, la vie sans la peur de partir, sans la terreur de finir seule.

Vieillir est douloureux, et féroce. C'est laisser s'enfuir, sans que l'on puisse rien y faire, la suavité de la peau, son grain laiteux, c'est la voir se tacher, se détendre et pendre ; c'est laisser s'envoler les regards d'avant qui venaient se poser sur nous au hasard d'une promenade, ces regards gourmands, affamés souvent, qui nous font nous sentir belles, et savoureuses, et dont l'insistance, la vulgarité parfois, sont des louanges.

Vieillir, c'est voir se réduire notre place sur la Terre, se rabougrir nos ombres. C'est finir par ne plus être vue.

Ainsi me voilà.

Me voilà jeune à l'âge où la jeunesse s'en va.

Me voilà rare et curieuse.

Toutes, on s'observe tous les jours et tous les jours on se voit jeune, et si l'éclairage est défavorable, on se *sait* jeune.

J'ai lu quelque part qu'on ne se voit pas vieillir.

On met les premières rides sur le compte de l'hyperactivité des muscles – on les nomme d'ailleurs rides d'expression, c'est bien moins cauchemardesque –, et on baisse la garde, on ne perçoit

pas le quadrillage du temps qui commence à affleurer sur le visage, sournoisement, les rides horizon-
tales, verticales et latérales, à la hauteur de l'orbite
de l'œil, dont la couleur est pourtant si flatteuse, les
pattes-d'oie – *des rayons de soleil*, n'importe quoi.

On achète alors un miroir grossissant, et l'on
vacille doucement, parce que ce n'était pas là la
semaine dernière : on s'aperçoit que la peau et
le muscle de l'œil se sont distendus, que la paupière supérieure qu'on adorait maquiller de gris,
de bronze, de poussière d'or les nuits de fête,
s'est alourdie, qu'elle altère désormais l'acuité du
regard, son charme – sauf chez Charlotte Ram-
pling –, on chausse ses lunettes de presbyte, on
s'approche encore un peu plus de l'effrayant miroir
pour découvrir, au niveau de la paupière inférieure
– avec une soudaine envie de pleurer, de crier, de
tout casser, de mourir même –, que la graisse qui
se trouvait à la hauteur de l'orbite a glissé et des-
sine en ce matin d'effroi des poches sous les yeux,
des poches remplies de larmes pour pleurer sur le
temps qui s'est enfui, le combat perdu, l'éternité
qui n'est plus.

On se relève difficilement de la tragédie. Elle
poignarde.

On se goinfre alors de Prozac. On se soigne à
l'Anafranil, voire au scalpel. On regarde les photographies de ses vingt ans, on cherche à se ressem-
bler de nouveau, puis on finit par baisser les bras
comme d'autres les lèvent pour se rendre.

Cette détresse, que je ne connaîtrai pas.

Dehors le jour s'installe et, comme par l'effet d'un volet qui s'ouvre, la salle de bains est peu à peu inondée de lumière.

J'entends mon fils descendre à la cuisine, il est toujours le premier levé, j'entends le bruit de la porte du réfrigérateur, du pot de lait qui cogne sur la table, qui heurte le rebord du bol de céramique, celui du raclement des pieds de la chaise sur le carrelage.

Je passe de l'eau froide sur mon visage.

Je n'ai pas de cernes, pas d'ombres.

La jeunesse offre aussi l'avantage de ne pas marquer les nuits de peu de sommeil.

André frappe à la porte de la salle de bains ; j'arrive, mon amour, je descends tout de suite.

Mais d'abord, et avec un indicible plaisir, je vais jeter tout ce qui encombre le rebord du lavabo : les crèmes anti-âge, antirides, liftantes, reliftantes, repulpantes, gainantes, les sérums contour des yeux, contour des lèvres, je vais tout jeter, sauf mes crèmes hydratante et solaire, la base, dit Odette, la base, *sans quoi tu es morte*.

Puis je rejoindrai mes hommes à la cuisine.

Ainsi me voilà.

Hagop Haytayan – notre médecin de famille depuis que nous étions une famille – a éclaté de rire.

Mais ça n'existe pas ça, Betty, ne pas vieillir ! Tout vieillit. Les hommes, les femmes, les arbres, les plantes, les chiens, Dieu merci, même votre aspirateur, votre téléviseur, les chansons, les théories souvent. André aussi vieillit. Mais pas moi. Mais pas vous. Il est redevenu sérieux. Mais pas vous. Vous lui en avez parlé ? Non. Bon. Nous allons commencer par une analyse de sang, et nous aviserons en fonction des résultats. Puis il a souri de nouveau, de ce sourire qui faisait pétiller son regard. Je crois que vous vous faites des idées, Betty.

À trente ans (trente-cinq), mes taux d'acide urique, d'albumine, de gamma-glutamyl transférase, de cholestérol, de créatinine, de glycémie, d'hémoglobine, de thyréostimuline, de triglycérides et de vitesse de sédimentation étaient absolument normaux. Des radiographies des os indiquaient la même chose : ma masse osseuse était stable depuis mes vingt ans, elle commencerait à diminuer après mes quarante ans, m'a-t-on précisé. Une IRM a découpé mon corps en rondelles et n'y a rien trouvé à redire à part qu'il était bien celui d'une femme en très bonne santé de trente-cinq ans. Une dermatologue a examiné ma peau sous toutes les coutures en suçotant une angélique de Niort – problème d'haleine ? – et lui a donné à peine trente ans ; lorsque je lui ai dit que j'en avais bien cinq de plus, elle a recommencé l'examen et a fini par lâcher : c'est curieux, vous avez un épiderme clairement plus jeune que vous. Elle s'est longuement entretenue avec Haytayan, ils se sont échangé leurs dossiers, quelques mots compliqués, et ont conclu que, s'il était impossible d'affirmer que je ne vieillissais pas, ainsi que je le prétendais, photos à l'appui, il était néanmoins avéré que ma peau avait toutes les qualités – absence de ride, élasticité, fermeté, éclat, etc. – de celle d'une jeune femme d'à peine trente ans, mais qu'à l'intérieur – organes, muscles, os, etc. – il s'agissait bien du corps d'une femme de trente-cinq ans.

Je ne vieillissais pas au-dehors. Je vieillissais au-dedans.

Mon mari n'avait rien remarqué, ni notre fils d'ailleurs. Quelques femmes cependant, au cours de yoga, notaient avec envie ma bonne mine, mon allure juvénile, ma peau de bébé, tout ce que Sādhu (Liliane-Berthe, de son vrai prénom) s'empressait de porter au crédit de son enseignement : je vous rappelle, mesdames, que le but de notre travail est la libération – *moksha* – du cycle des renaissances – *samsara* – engendré par le karma – *karma* – individuel, et Betty renaît très bien, oh oui, très bien.

Odette supposait que les produits de beauté qu'elle me donnait étaient la raison de ce miracle, qu'il y avait entre les formules des crèmes et la chimie de ma peau une alchimie justement, unique au monde. On devrait t'étudier, s'amusa-t-elle, comme l'Enfant sauvage ou Elephant Man, je te remercie Odette, oh pardon, pardon, ce n'est pas ce que je voulais dire, ce que je voulais dire c'est, j'ai compris Odette.

Elle n'avait toujours pas démissionné de son boulot de représentante en produits Odylique – je vais en crever, je te dis, je vais en crever –, parce que Fabrice était dans le creux d'une vague assez haute : depuis que les appareils photos s'étaient démocratisés, qu'ils étaient désormais en carton et peu chers, tout le monde se rêvait photographe et chacun photographiait à tour de bras tout ce qui l'entourait, monuments, visages amis, placettes, pigeons, des larmes parfois, et bientôt, des images de plats du jour, de pâtes à la bolognaise, de crevettes grises, jusqu'à l'écœurement, feraient leur apparition dans les albums de nos vies, nous raconteraient, dessineraient les trajectoires familiales ; qu'allions-nous transmettre d'autre à nos enfants que la vacuité de notre regard ?, que ces milliers d'images inutiles qui donnaient à chacun l'impression d'avoir du talent et signaient la mort lente des photographes professionnels. Les revenus de Fabrice avaient fondu, Odette travaillait désormais deux fois plus, ses yeux et ses joues se creusaient davantage, son teint prit définitivement une couleur de fraisil, et ses quarante-cinq ans eurent la discourtoisie de lui en faire paraître sept ou huit de plus.

On se fait plaquer pour ça, Betty.

Le jour de son anniversaire, elle pleura énormément, Fabrice et André tentèrent de la consoler avec toutes les ruses parfois sincères dont sont capables les hommes pour faire croire à une femme qu'elle fait beaucoup plus jeune que son âge, qu'elle est magnifique, que de toute façon le temps l'embellit, qu'elle est plus attirante encore qu'à vingt ans, qu'à trente ans, même, vous êtes tous des menteurs ! tous des salauds ! mais si, mais non, calme-toi, Odette, regarde Juliette Gréco, expliqua Fabrice, c'est à cinquante ans qu'elle était à tomber, et super sexy, pas quand elle était jeune ; ah, tu crois ? mais elle n'a pas refait son nez ?

À trente ans (trente-six), je vivais dans l'euphorie de mon secret, ma jeunesse m'enivrait, je savourais le présent, et il me semblait que jamais je ne parlerais au passé.

À trente ans (trente-sept), je profitais des dernières heures de l'enfance de notre fils, des derniers câlins, des dernières complicités avant les premières rugosités d'homme, la voix qui mue, la pilosité naissante, le besoin d'indépendance.

Nous sommes partis cet été-là rejoindre Françoise et papa qui avaient loué pour un an une maison en Toscane, à Pitigliano, un village construit sur une falaise de tuf volcanique ; de leur terrasse, la vue sur les gorges de la Lente était vertigineuse et apaisante, elle faisait oublier la jambe absente, le fils enfermé à la Maison centrale de Poissy. Ils étaient heureux – la beauté est un antidépresseur.

Lorsque nous nous sommes quittés après quelques jours enchanteurs, papa m'a regardée curieusement, puis m'a dit au revoir Paule.

Paule. Le prénom de maman.

J'ai vacillé.

Peut-être devenons-nous ceux qui nous manquent. Peut-être remplissons-nous le vide, par angoisse du vide. Peut-être cristallisons-nous ce qu'ils ont été pour les garder auprès de nous toujours.

— Au revoir, Paule.

À trente ans (trente-huit), j'ai vu la joie bouleversante d'André à l'occasion de la présentation à la presse de sa première collection de chaises et de tables – il l'a dédiée à ses parents pour lui avoir appris la terre et les pierres, le tumulte de l'eau et la boue, les somptueuses violences de la nature. L'éditeur Cassina avait produit les meubles, les diffusait maintenant partout ; ils connaîtraient bientôt un succès fulgurant, en France mais également en Allemagne, en Suède, aux États-Unis.

Mon mari réalisait ses rêves. Le temps l'aimait.

Je voyais bien les regards nouveaux des femmes se poser sur lui – ils ne lui échappaient pas non plus –, cette façon qu'elles avaient parfois de mordre leurs lèvres en l'observant, comme on agrippe un drap, étouffe un cri, je trouvais cela indécent, une nausée, mais il me rassurait toujours et cela me donnait chaque fois envie de pleurer.

Non seulement j'étais aimée, mais j'étais aussi préférée.

Un matin, au réveil, après que ses doigts râpeux et précis m'eurent fait jouir, il m'a répété que j'étais belle et il a ajouté, pour la première fois, *tu es la même, Betty.*

C'était une phrase dangereuse.

S'apercevait-il que je ne changeais pas ? Pressentait-il ce que je taisais, et qui d'un côté paraissait un rêve, de l'autre une monstruosité ? S'il savait, penserait-il que je suis malade ou anormale ? Serait-il terrifié à l'idée que je puisse vieillir d'un coup, sans raison ? Jusqu'ici, ni le docteur Haytayan ni aucun autre n'expliquait ce qui m'arrivait – leur ignorance m'était une forme de réconfort. Et lorsque je pensais à André, tout cela m'affolait : m'aimerait-il toujours ?

C'est toi qui me fais ça, ai-je fini par dire. C'est toi qui me fais rester jeune. C'est pour toi, André. Il a souri, est sorti de notre lit, tu es une femme étonnante, Betty.

Sébastien allait avoir treize ans. Il était en quatrième, où la nouvelle Charte des programmes stipulait qu'*un réinvestissement hors du monde scolaire devait permettre aux jeunes de construire leur vie personnelle, leur vie professionnelle et d'être des citoyens responsables.* Nous l'avions donc inscrit à un club de foot où il se révéla un gardien de but assez doué. Le week-end, il apprenait avec moi le nom des peintres, des écrivains, de quelques cinéastes, avec son père la pêche, le silence, la patience et les variétés d'arbres. Il entrait dans l'adolescence, sans drame, sans crise, comme j'y étais moi-même entrée, et je sais que la douceur, la

bienveillance et même l'amitié de son père y étaient
pour beaucoup.

Françoise et papa sont revenus d'Italie. Ils ont
retrouvé leur pavillon, d'autres voisins, des chiens
méchants, des gamins furieux, des vitres brisées
et quelques nouveaux ronds-points ; leurs jour-
nées de retraités déclinaient à l'heure où partaient
travailler les voisins, le désœuvrement couvait, le
silence s'installait, l'humeur sombre, et un après-
midi, alors que j'étais chez eux, papa a pris mon
visage dans ses mains et il a cherché à poser ses
lèvres sur les miennes.

À trente ans (trente-huit), Fabrice a fait mon huitième portrait.

La même lumière, le même fond perlé, le même chemisier et toujours pas de sourire, Betty ; comme Peggy Daniels.

L'image confirmait qu'en huit ans, je n'avais, comme on dit, pas pris une ride.

C'est moi qui les prends à ta place, a murmuré Odette, désabusée.

À trente ans (trente-neuf), j'avais, comme tout le monde, écouté en boucle la viole de gambe de Jordi Savall, à cause du film d'Alain Corneau, et puis, comme tout le monde, j'étais retournée à d'autres chansons. Cyndi Lauper. Queen. Emmylou Harris.

Un midi, dans un restaurant où nous déjeunions mon mari et moi, un couple nous a observés. Puis la femme a chuchoté quelque chose à l'oreille de son compagnon. J'ai senti que cela avait déplu à André, il m'a dévisagée à son tour un instant, d'un regard que je ne lui connaissais pas, plein de mélancolie.

Je n'y ai pas prêté grande attention, je sais aujourd'hui que ce fut une erreur.

Papa fit une série d'examens à l'hôpital. Sa mémoire était encombrée, comme ces tiroirs si remplis qu'on ne peut même plus les ouvrir. Ses souvenirs étaient confus. Plusieurs fois, tandis que nous déjeunions ou étions assis au jardin, il me contemplait fixement, et se mettait à pleurer. Ses larmes coulaient, il ne les essuyait pas.

Parfois, il demandait où était partie sa jambe. S'il était né comme ça. Si elle allait finir par pousser.

Et c'est Françoise qui se mettait alors à pleurer.

Odette capitula. Elle allait avoir cinquante ans dans moins de deux ans. Des femmes plus jeunes, plus jolies, plus résistantes – des petites putes, oui – convoitaient son poste ; et puis je ne suis pas débile, je vois bien le regard de Fabrice qui s'attarde sur ces petites salopes, c'est pas des modèles pour son livre qu'il cherche, mais ce que j'ai perdu, Betty, cette perte qui effraie les hommes ; aussi, dans le cotonneux d'une aube, sans rien dire à quiconque, surtout pas à *son fiancé*, se rendit-elle dans une clinique pour un lifting du visage et du cou.

Elle revint quarante-huit heures plus tard, quelques pâles ecchymoses sur la peau ; elle revint pleine d'espérances et d'amour, mais son fiancé ne la prit pas dans ses bras, ne parla pas ; elle lui promit, dans un curieux et triste sourire, que l'étirement de sa peau ne changerait rien, pas même la virtuosité de ce don qu'elle possédait ; mais Fabrice resta en retrait, comme un enfant, le choc d'une première brûlure, ses lèvres tremblaient, les phrases ne sortaient pas et ce fut le plus terrible, le plus assassin des silences.

Ils allaient devoir refaire connaissance, tenter d'inventer les mots, les gestes pour nommer tout cela.

Ce saccage qui s'était voulu de l'amour.

À trente ans (quarante), j'ai été bouleversée par un piano échoué sur le sable de Nouvelle-Zélande, bouleversée par la douleur de Jane Campion qui, un mois après sa Palme d'or, perdit son fils de onze jours, *on me demandait des nouvelles du bébé ; du lait coulait de mes seins* ; et je me suis prise à espérer qu'il soit avec le mien qui avait décidé de ne pas vivre ici.

À trente ans (quarante), j'ai organisé une énorme fête pour mes quarante ans.

Toutes les filles du yoga étaient là, leurs maris, quelques rédactrices de La Redoute aussi, où j'avais été nommée directrice de création, eh oui, *ma chère*, quelques mamans et papas d'élèves avec lesquels nous riions bien, et des anciens de la Catho, retrouvés grâce à l'amicale des anciens – il y avait là les filles des années du Pubstore, de la folle soirée Bardot en body noir et jupe verte, il y avait les jolis garçons d'alors, frôleurs, bonimenteurs, qui n'avaient pas redessiné le monde ni rejoint les militants anti-apartheid en Amérique ou en Afrique

du Sud, qui avaient laissé leur révolte s'enfuir et
leurs corps s'alourdir et étaient devenus assureurs,
chefs d'entreprise, avocats ou consultants, parce
qu'il faut bien vivre, entretenir sa famille, avoir
un *standing*, rembourser le prêt pour la maison et
mettre de l'argent de côté pour une semaine de
vacances au Club Med ou l'achat d'une Porsche un
jour, histoire de rappeler à tout le monde qu'on a
gardé une âme d'enfant. L'un d'eux m'a abordée,
je l'ai reconnu aussitôt et mon cœur s'est emballé
– traître ; il m'a félicitée pour ma *joliesse*, j'ai immédiatement raffolé du mot, désuet au possible, puis
il m'a demandé où il pouvait trouver Betty, qu'il
supposait être ma grande sœur au vu de notre res-
semblance. C'est moi. Il a ricané, non, je ne crois
pas, Betty a au moins dix ans de plus que vous ;
j'ai souri ; je l'ai bien connue, vous savez, je pense
même qu'elle était secrètement amoureuse de moi ;
ses mots résonnaient en moi, petits coups de couteau dans ma poitrine ; tu le savais, ai-je murmuré,
tu le savais et tu l'as laissée seule dans son désir ?
Il a froncé les sourcils, puis a chuchoté : il y a
quelque chose de flatteur à être désiré ; et d'odieux
à en jouer, l'ai-je interrompu. Je ne comprends
pas, a-t-il repris, Betty vous a parlé de moi ? Si
elle est aussi jolie qu'à l'époque, j'essaierai de me
faire pardonner. Une femme pardonnera toujours
une maladresse, Christian, jamais d'avoir raté une
occasion, alors non, tu n'auras jamais plus aucune
chance avec moi, j'ai laissé mon chagrin de toi sur

la banquette en moleskine du Pubstore, il y a bien longtemps ; ses yeux trop clairs se sont posés sur moi, il m'a dévisagée, Betty, oh mon Dieu, Betty, c'est toi, tu n'as pas changé, c'est incroyable ; il a caressé mes cheveux, j'ai eu un mouvement de recul ; je me souviens de ta coupe très courte, à la Jean Seberg dans *Sainte Jeanne*, de tes jupes qui volaient ; choisies pour toi ; des regards qui s'envolaient, j'ai été idiot ; égoïste ; mon Dieu, comment se fait-il que tu n'aies pas vieilli alors que nous sommes tous devenus vieux, j'aurais dû t'épouser ; arrête ; je n'aurais pas eu à te quitter pour une plus jeune ; arrête, Christian, tu n'es plus drôle, ton indifférence a été une injure, mais c'est passé, je suis heureuse, j'aime et je suis aimée, et nous avons même un fils, un gamin formidable, et toi ? je suppose que tu n'es pas devenu le grand réalisateur que tu rêvais d'être, Godard, Truffaut ; tu te souviens aussi de ça, Betty ? C'est vrai, je ne suis pas devenu réalisateur, ça se saurait, juste le patron d'une imprimerie qui fait des catalogues de supermarchés, des rapports annuels, des menus de mariage ; toujours marié ? ; divorcé, deux fois ; tu es heureux ? ; tu veux vraiment le savoir ? ; non ; je pourrais te revoir, un café, un jour ? ; non.

Il a baissé la tête, entrouvert la bouche mais aucun mot n'est sorti, puis il s'est laissé entraîner, avaler par le flot des invités qui dansaient, qui buvaient, riaient, se retrouvaient, se rencontraient, et mon cœur a cessé de trembler.

Plus tard, les anciens de la Catho, tous un peu ivres, ont chanté *Ohio* de Neil Young, la chanson qui avait été notre hymne, des filles du yoga sont venues se joindre à eux, et des larmes me sont montées aux yeux, charriant ces années d'insouciance, ces années heureuses où l'on ne mesurait pas la chance inouïe que nous avions d'être vivants ; c'est alors que les lèvres d'André sont venues se poser sur ma joue, boire mes larmes, ses bras m'ont enlacée, m'ont plaquée contre lui, contre son désir, dur, impétueux, et j'ai su, une fois encore, qu'il était l'homme de ma vie.

J'ai rejoint les filles du yoga, entraînées par Sādhu (Liliane-Berthe, de son vrai prénom), qui dansaient comme des serpents et rendaient fous les garçons ; plus tard, j'ai fait jouer plusieurs fois le mambo de Misraki qui avait fait de Bardot une star planétaire et hurler au scandale les Ligues de (petite) vertu, et nous nous sommes retrouvées comme au premier jour, enfiévrées, envoûtantes, nous étions le corps même du désir, nous étions le diable, et le diable avait une allure folle ; Odette passait de bras en bras, caressait parfois les joues des hommes, dis-moi que je suis belle, mon grand, l'ivresse et la fête faisaient s'ouvrir les cages des mots, et Fabrice n'est pas allé chercher *sa fiancée*, ne lui a pas demandé de se retenir, il savait qu'elle voulait juste lui montrer à quel point elle pouvait encore plaire, rendre fous les hommes – l'immobilité ressemble à la mort, m'a-t-il dit, épouvanté.

Quelques filles de la Catho voulaient absolument connaître la marque de mes produits de soins, l'adresse de mon chirurgien, de mon cours de yoga, la liste des aliments que je mangeais, quels yaourts, quels fruits, quelles eaux ; je leur ai assuré que je ne faisais rien de spécial, elles m'ont traitée d'ingrate, je te rappelle qu'on a pleuré ensemble pour le Vietnam, qu'on t'a emmenée voir Pink Floyd à Paris, c'est moche ce que tu fais, Betty, vraiment moche, garder ça pour toi, un tel secret, le secret de la jeunesse, tu te rends compte ! ; les filles, je vous jure que – et nous avons éclaté de rire.

La soirée fut magnifique. Elle s'acheva à regret à l'aube ; quelques-uns rentrèrent chez eux, la plupart des autres, dont mon mari, Odette et moi, marchèrent en titubant gaiement, en dansant encore, jusqu'à la première terrasse de bistrot pour y avaler un solide petit déjeuner, plaisanter une dernière fois, se promettre de se revoir, s'agripper, pour une heure encore, à ce qui nous filait entre les doigts. Christian se leva, jambes flageolantes, gestes incertains, il leva haut sa tasse de café et, la bouche pâteuse, déclara : je porte un toast à Betty, et si tu me permets, André, à sa beauté, et à sa jeunesse qu'elle est la seule ici à avoir conservée, alors que nous sommes devenus de vieux dé

Il ne termina pas sa phrase.

Il s'écroula, sublime, pathétique, ivre.

À trente ans (quarante et un), l'épuisement de mes follicules ovariens associé à une diminution progressive de la sécrétion de ma progestérone et de mes œstrogènes ont modifié mon humeur ; j'ai eu des périodes tristes, des angoisses, des migraines plus fréquentes ; j'ai ressenti des douleurs au niveau des seins, des bouffées de chaleur, et – à la grande joie de mon mari –, ma libido a augmenté. Périménopause, a diagnostiqué Hagop Haytayan. Déjà ? ai-je demandé, mais comment est-ce possible ? Vous croyez que je vieillis plus vite à l'intérieur, pour compenser ? Il a pris un air compréhensif. Vous faites partie des dix pour cent de femmes à qui cela arrive prématurément, Betty, donc non, ce n'est pas un phénomène compensatoire, et puis vous êtes chanceuse, vous faites aussi partie de ces moins de un pour cent de femmes qui ne prennent pas de poids durant cette période. Cela dit, je reconnais que parler de périménopause à une femme de trente ans, cela me fait bizarre.

Un matin, lorsque je me suis réveillée, André était assis sur le lit. Il me regardait.

Je n'ai pas osé lui demander pourquoi.

Sébastien a eu seize ans. Il commençait à se détacher de nous, peu à peu, sans nous blesser. Grandir est violent, on doit faire un deuil difficile ; on veut être à la fois libre, indépendant, tout en continuant à bénéficier de la protection dont on jouissait enfant, on commence à se cogner aux murs du monde, à mesurer la place qu'on y prendra. Il m'a demandé, un soir où son père était à nouveau en Suède pour quelques semaines, s'il était beau, s'il avait du charme, s'il plairait ; et d'ailleurs, comment rencontre-t-on quelqu'un, maman, comment sait-on ? Le lendemain, je l'ai emmené refaire sa garde-robe, l'invitant à choisir ce qu'il voulait. Il est sorti de la cabine d'essayage, le look *mod* – chemise au col boutonné, costume deux-pièces, veste trois boutons, pantalon cigarette –, et m'a interrogée : si tu étais jeune, maman, oups, je veux dire si tu avais mon âge, tu sortirais avec moi ? Oui, Sébastien, oui, je te trouverais très beau.

J'aimais qu'il ait encore besoin de moi.

Odette s'était fait faire des injections de collagène dans les lèvres ; tu comprends, Betty, ma bouche n'allait plus avec mon visage, des lèvres pulpeuses c'est plus sexy, et d'après le médecin, ça estompe les rides naso-labiales.

— Regarde.

J'ai eu de la peine pour elle.

J'avais seize ans lorsque je l'avais croisée pour la première fois aux Nouvelles Galeries où elle était vendeuse, elle en avait à l'époque vingt-cinq et, sans être une reine de beauté, elle possédait une pétillance, une joie de vivre qui donnaient envie d'elle.

J'ai eu de la peine pour elle.

La chirurgie était une drogue, un espoir sans fin, après le visage, les lèvres, après les lèvres, les paupières, après les paupières, les seins, après les seins, le ventre, après le ventre, les genoux, et le temps passe et on recommence pour faire passer le temps, on se voit de plus en plus jeune et belle, de plus en plus parfaite, alors qu'on est vue comme une misère. Fabrice ne la considérait plus avec ses yeux d'homme mais de photographe, et c'est avec ces yeux-là qu'il en vint à aimer cette défiguration qui s'était voulue une marque d'amour, presque une soumission, une appartenance – comme les scarifications qui lient entre eux les Guiziga du Cameroun. Odette était devenue une image qui le fascinait, *un sujet* ; et moi, j'aimais mon amie, j'aimais sa frayeur de n'être plus assez belle, plus assez jeune aux yeux de *son fiancé* ; j'aimais penser qu'elle s'aimait enfin.

Le père d'André est mort cette année-là, une rupture d'anévrisme, une petite grenade dans la tête. Nous avons enterré son corps dans le Nord, dans une terre argileuse, une de celles qu'il appréciait car elle se gonflait, se rétractait, comme le cœur d'un homme, disait-il ; elle est vivante.

Là, je redeviendrai terre.

Je deviendrai la Terre.

À trente ans (quarante-deux), ce qui avait été ma chance allait faire mon malheur.

Depuis douze ans, j'avais le visage et l'allure d'une jeune femme de trente ans.

Aujourd'hui, j'en avais quarante-deux.

Depuis douze ans, personne ne s'étonnait dans le quartier que je sois restée la même. On voit qu'un homme change parce qu'il s'est fait poser des implants sur le crâne, ou possède soudain un cabriolet sport et affiche une femme de l'âge de ses filles ; on voit qu'une femme change parce qu'elle prend du poids, modifie sa couleur, porte des talons plus stables, mais si on reste la même, strictement la même, les gens sont aveugles, peut-être aussi parce qu'ils se complaisent dans l'idée qu'eux-mêmes ne changent pas – *l'effet miroir.*

Depuis douze ans, chaque matin m'enchantait, je retrouvais mon visage intact dans le regard de mon mari, dans le miroir de la salle de bains, au hasard des rues dans les sourires des hommes, jeunes et moins jeunes ; depuis douze ans, les compliments me ravissaient ; je souriais toute seule, en marchant, comme à dix-huit ans ; je vivais ce rêve d'être fraîche, et de le rester, sans aucun produit de beauté ni scalpel, sans aucune explication.

J'étais comme une promesse impérissable.

Pour Odette, c'était évidemment lié à maman – tu as pris conscience que tu ne vieillissais plus à l'âge même où elle est morte, tu as arrêté de vieillir pour rester plus jeune qu'elle, et peut-être même, va savoir, pour faire souffrir ton père, ou au contraire, pour ne pas l'abandonner – oh ! comme c'est compliqué tout ça !

Pour Fabrice en revanche, il fallait plutôt chercher du côté de la poésie, de la magie, accepter ces miracles qui arrivent sans que l'on sache pourquoi – comme les fleurs sur la terre ou la rédemption.

Mais pour André, cela était peu à peu devenu quelque chose d'anormal, de dérangeant, puisque, si selon l'état civil six années seulement nous séparaient, une différence de presque vingt ans était désormais visible entre nous.

Un matin, il a enfin posé la question.

— Qu'est-ce qui se passe, Betty ?

Je n'ai rien pu répondre. Mon cœur s'est emballé. Un mot de plus et je me serais mise à pleurer.

— Qu'est-ce qui se passe, Betty ?

Alors mes larmes, irrépressibles.

— Les choses sont terrifiantes quand on ne les nomme pas. C'est une maladie orpheline ? Une régénérescence ? Tu as donné ton âme ?

— J'ai peur, André, j'ai tellement peur parfois.

Il a essuyé mes larmes, la pulpe râpeuse de ses doigts a griffé mes joues, et j'ai vu quelque chose de nouveau dans son regard.

Peu de temps après, il m'a fait examiner à Paris, par des grands spécialistes qu'on lui avait recommandés.

On m'a analysée de fond en comble. On m'a fait plusieurs biopsies en plusieurs endroits du corps. On m'a scannée. On m'a découpée au laser. On m'a intubée ici et là. On m'a fait faire les tests de Rorschach, de Beck et de Coopersmith. On s'est gratté la tête. On s'est enfermé. On a conciliabulé.

Mais on n'a rien trouvé d'autre que le corps en bonne santé d'une femme de quarante-deux ans, laquelle avait la séduisante apparence d'une jeune femme de trente.

Sur la route du retour, André est resté longtemps silencieux ; je le connaissais trop bien pour ne pas savoir que son cœur battait fort, qu'il frôlait ce vertige qui ruine parfois une vie. Nous étions ensemble depuis vingt-quatre ans, nous nous étions énamourés, j'étais restée une épouse fidèle, jusque dans ses absences, je lui avais offert tout le temps dont il avait eu besoin, ma patience et ma foi, pour que ses mains parviennent au trésor qui était en lui, je l'avais toujours soutenu et ne m'étais jamais découragée lorsqu'il partait plusieurs mois, me contentant de lettres pleines de mots inconnus, *jatauba, kaori, olon, ramin, cerejeira* – dont j'ai appris plus tard qu'ils étaient des noms de bois, ces infinis qu'il découvrait –, j'avais fait de son fils un jeune homme raffiné, bienveillant, un bienfait ; je les aimais chaque jour.

Lorsqu'il a enfin ouvert la bouche, ce fut le chaos.

— Je pars.

Nus, les mots sont souvent d'une violence inouïe.

— Je pars.

Deux mots sans une once de gras. Deux osselets secs. Une lame, plus qu'une phrase.

On ne fait pas une crise de nerfs dans une voiture qui roule à plus de cent trente kilomètres à l'heure.

Je suis restée calme.

J'ai tourné mon regard vers lui – ses yeux fixaient l'autoroute. J'ai alors vu les années que je n'avais pas voulu voir sur son visage, les cheveux argentés sur la tempe, les premiers points de rouille sur les mains, les poches sous les yeux, les rides qui restaient là même lorsqu'il ne souriait pas, les joues qui s'affaissaient un peu, lui donnant un air tendre ; j'ai vu ces années qui nous séparaient, qui avaient passé si vite, à peine le temps de bâtir la légende d'un homme, l'allégresse d'une femme ; j'ai vu des tourments, j'ai vu bifurquer notre route ; je n'ai pas pleuré mais une colère m'a vrillé le ventre. C'est dégueulasse ce

que tu fais André, c'est d'une telle lâcheté ! Aimer,
c'est tout aimer de l'autre. Je t'ai aimé à chaque instant, même dans tes absences, dans tes silences, tes
excès. Puis j'ai baissé les yeux, cessé de le dévisa-
ger. J'ai l'amour inconditionnel. Toi, tu l'as volatil.
Tu pars parce que ce qui m'arrive ne te plaît pas.
C'est pathétique. Grotesque. En fait, ça n'a même
pas de nom. Il a encaissé, sans emportement. Puis
il a parlé. Pourquoi toutes ces années de mensonge,
Betty ? Comment as-tu pu imaginer que je ne
remarquerais rien, que je ne m'inquiéterais pas, que
je n'aurais pas peur pour toi ? J'ai tourné la tête de
l'autre côté, j'ai regardé le paysage, et je me suis sentie soudain si vide. Si laide. Il a poursuivi. Je vais te
dire. Je me sens trahi. Parce que tu m'as menti. Mais
plus encore, parce que tu ne changes pas. Aimer,
c'est tout aimer de l'autre, je suis d'accord – à travers le temps et dans ses métamorphoses même.
Je viens de la terre et je crois à la nécessité des saisons, on ne peut pas vivre qu'au printemps. Mais tu
ne disais rien. J'ai respecté ton silence, ravalé mes
questions, et j'ai attendu. Je t'ai attendue, Betty.
Je rêvais de vieillir avec toi, de traverser le siècle à
ton bras, je rêvais de te voir vieillir lentement, joli-
ment, de te regarder arracher tes premiers cheveux
blancs en pestant, faire des grimaces idiotes pour
tonifier ta peau, de voir l'automne éclore sur tes
mains et toutes nos belles années sur ton visage,
elles auraient dessiné notre vie, et nos joies ; il m'a
semblé qu'à son œil une larme affleurait ; c'est

épouvantable ce qui nous arrive. Épouvantable. Depuis ton premier sourire, rue de la Monnaie, je t'aime. Mais tu dois aussi accepter que je puisse ne pas être bien avec une femme de vingt ans de moins que moi, de vingt-cinq ans de moins, une femme de trente ans de moins un jour. Je ne veux pas des sarcasmes, des regards méchants, envieux, je veux juste que l'âge de ma femme raconte notre histoire, atteste notre quart de siècle ensemble, déjà, mon Dieu ! Comme toi, Betty, je rêvais, et je n'ai oublié aucun de tes mots, de devenir ces deux petits vieux que l'on croise parfois dans un parc, sur un banc, qui se tiennent la main, et dont les beautés ont déteint l'une sur l'autre. Mais on ne devient pas un couple de petits vieux quand l'un a quarante ans de moins que l'autre. Tu souhaitais devenir une grand-mère, faire du chocolat chaud, mais on n'est pas une grand-mère à trente ans, Betty, on n'est pas une grand-mère quand son fils est un jour plus vieux que soi, quand son mari un jour a l'âge de son père puis de son grand-père. J'allais dire quelque chose, pour essayer d'être sauvée. Je sais que tu es toujours toi, Betty, que tu as toujours cette âme que j'aime, ce cœur, mais je crois, au fond de moi, que je suis effrayé de te voir rester la même.

Tu es comme un rivage duquel je m'éloigne et qui me rappelle sans cesse que je vais mourir.

Alors je me suis mise à sangloter, mes mains à trembler, je me suis recroquevillée sur le siège de la voiture, j'ai voulu disparaître, ouvrir la portière

soudain, jeter ce corps qui ne vieillissait pas, laisser les autos l'écraser, les camions ; je n'en voulais
même pas à mon mari, je comprenais sa peine, sa
déception ; je lui ai demandé pardon pour n'avoir
rien avoué de ma malédiction, pour ne pas avoir eu
confiance en lui, je lui ai répété que j'avais été heureuse d'avoir été belle pour lui, et jeune pour lui,
que je l'aimais, qu'il était l'homme de ma vie, que
moi je ne le quitterais pas, jamais ; il a arrêté la voiture cinq minutes plus tard sur une aire de repos,
à l'écart des quelques automobiles parquées, dans
l'ombre des arbres – j'ai reconnu des prunelliers, il
me les avait appris –, et nous avons fait l'amour en
pleurant.

Et ce fut tout.

Les mamans manquent.

La mienne avait eu des bras qui recueillaient, qui comprenaient et soignaient. J'aurais aimé pouvoir y pleurer encore une fois, m'y blottir, une fois encore entendre je suis là, une fois encore je t'aime pour toujours, Martine, quoi que tu fasses.

J'ai passé quelques jours chez Françoise et papa. Je suis arrivée en larmes et il m'a semblé être très vieille soudain — corps douloureux, comme celui d'une arthritique ; *vieille* : qui ressent un sentiment d'inutilité, de perte et d'abandon, des fatigues, des insomnies. Il m'a fallu du courage, mais c'est paradoxalement ma peine — celle-là même qui ne peut pas ne pas sortir, au risque de nous noyer — qui m'a donné la force de leur annoncer qu'André et moi nous quittions. Papa a haussé un cil, mais tu es déjà partie, Paule, tu es partie avec ma jambe, avec mon amour, avec Martine. Françoise s'est précipitée, a ouvert ses bras qui n'avaient pas tenu d'enfant depuis plus de huit ans que le sien avait été emprisonné à Poissy, où il n'avait jamais accepté de la voir bien qu'elle soit venue de nombreuses fois, elle les a refermés sur moi comme on couve d'une aile quelqu'un qui tremble, elle a murmuré à mon oreille des mots oubliés, mon bébé, mon enfant, je suis là, Betty, pleure, pleure, les larmes nous lavent, les chagrins sont des naissances ; et j'ai laissé ses mains m'accueillir. Plus tard, elle m'a raconté son divorce, ce salaud qui l'avait quittée – pour une plus jeune, *lui* –, son envie de mourir, puis sa rencontre avec papa, au Chat Noir. Il y a toujours une histoire qui nous attend, Betty. Une imprévisibilité. Un vertige. Il était venu pour des bottes en caoutchouc et quand il avait trouvé modèle à son pied gauche, il lui avait demandé si elle pouvait conserver la droite, l'envoyer à la Croix-Rouge pour les pauvres gars qui s'étaient fait déchiqueter sur des mines antipersonnel, au Vietnam, au Cambodge ou au Laos ; c'est cette délicatesse qui m'a fait fondre, a-t-elle avoué, sa tendresse pour les hommes de douleur.

J'ai réalisé que Françoise vivait avec papa depuis plus de vingt-cinq ans, j'avais seize ans lorsqu'ils s'étaient mariés ; elle avait connu l'époque des vitres, des portes blindées, de Mise en Cadre, la boutique d'encadrement qui avait eu son heure de gloire lorsque l'un des fils Mulliez, du groupe Auchan, y avait fait encadrer deux cent soixante-dix photos de son mariage, reportage dans *La Voix du Nord* et tout le toutim ; Françoise avait été le contrefort de Long John Silver pendant toutes ces années, elle l'avait toujours rattrapé, mais là, Betty, là, je ne sais plus quoi faire, c'est en lui-même qu'il tombe, qu'il sombre, je n'ai pas de prise, il me demande où est partie sa jambe, pourquoi je pleure, et certaines nuits, lorsque je me serre contre lui, lorsque je tente de le caresser, de le consoler, il se met à hurler, et c'est moi ce soir-là qui ai pris Françoise dans mes bras et lui ai murmuré quelques mots oubliés.

Une nuit, j'ai été réveillée par des mains qui touchaient mes seins, cherchaient mon ventre ; mes bras ont cisaillé le vide, fini par rencontrer un corps, le frapper ; le corps est tombé sur la table basse qui s'est brisée. J'ai aussitôt allumé.

Papa.

Françoise a accouru.

Je t'aime Paule, a dit papa. Reviens. S'il te plaît. Je ne casserai plus rien. Je ne crierai plus.

À trente ans (quarante-deux), j'étais le portrait de maman.

Dans les yeux de Long John Silver, j'étais elle, j'étais le serpent et la tentation, j'étais ce qui le consumait.

Sébastien a décidé de vivre avec son père. Les mêmes arguments affligeants – l'autre jour, on m'a demandé si tu étais ma grande sœur, bientôt on me demandera si tu es ma *meuf*, maman, un jour si tu es ma femme. Je ne l'en ai pas empêché. Mais je t'aime toujours, maman. Je sais. Grandir est violent, je l'ai déjà dit, on doit faire un deuil difficile.

Celui du plus faible.

Les deux hommes de ma vie m'ont quittée parce que mon inaltérable jeunesse était une monstruosité ; parce qu'il n'est pas normal d'avoir trente ans pendant trente ans ; parce qu'il faut bien que ce qu'on a aimé un jour s'altère, que l'image qu'on en a eue s'amenuise, petit à petit, s'efface, pour nous rappeler son éphémérité et la chance que nous avons eue de l'attraper, comme un papillon au creux de la main ; il faut que les choses meurent pour que nous ayons la certitude de les avoir un jour possédées.

Finalement, c'est moi qui suis partie.

À trente ans (quarante-quatre), il m'a semblé prendre un coup de vieux.

Il ne m'était désormais plus possible de déchiffrer la notice d'un médicament ou la date de péremption d'un yaourt.

Depuis quelques mois, la lecture d'un livre, d'un magazine, était devenue difficile, tout comme la consultation d'un menu au restaurant, et je répugnais à acheter une de ces paires de lunettes loupe que l'on trouve en pharmacie, entre les préservatifs, les pastilles pour la toux, les tests de grossesse ; ces lunettes qui vous donnent aussitôt, immanquablement, un air vieux, accablé ; soudain, les autres ne vous regardent plus de la même façon, l'accessoire vous dénonce, avoue vos faiblesses, votre décatissement à venir, il vous prive d'élégance, de légèreté ; dans la main, il alourdit vos gestes, vous voudriez le faire disparaître aux yeux des autres, et vos doigts se referment comme des pinces sur l'objet honteux, prêtes à le broyer, le déchiqueter comme un papier, le jeter sous la table. Il vous rappelle à quelque chose en vous que vous n'aimez plus. L'âge vous emprisonne, la liberté s'éloigne ; vous commencez à avoir peur ; vous guettez les premières taches sur la peau, le tracé bleu des veines, le doigt qui ne se tend plus tout à fait complètement.

Mais je n'avais pas le choix.

Un matin, alors que je faisais quelques courses dans ma supérette, j'ai eu besoin d'elles pour lire la composition d'un taboulé – je n'aime pas les anchois –, une vendeuse s'est approchée, fort aimable, m'a demandé si elle pouvait m'aider, j'ai fait diversion, c'est amusant ces lunettes ! quelqu'un les a oubliées sur le rayon, je voulais voir ce qu'on voyait à travers, elle me dévisageait, je m'apprêtais à m'enfuir, penaude, mais la vendeuse a souri, je me disais bien qu'elles ne pouvaient pas être les vôtres, alors je lui ai tendu les lunettes et j'ai déposé le taboulé aux anchois dans mon panier.

Plus tard, j'ai pris l'habitude de photographier avec mon téléphone portable les notices et les listes des ingrédients que j'agrandissais afin de pouvoir déchiffrer les petits caractères.

On peut mentir aux autres ; à soi, c'est plus difficile.

— Il faut une photo récente, c'est marqué là.

— Elle est récente.

— Récente de quand ?

— De ce matin.

— Vous me dites donc que cette photo – je mets des guillemets – « récente » correspond à la personne Rousseau, Martine, Françoise, Claude, ex-épouse Delattre, née le 17 janvier 1953, à cinquante-neuf mille quatre cent, Cambrai, Nord, et âgée, si je ne m'abuse, de quarante-quatre ans, puisque nous sommes en 1997, alors que le visage sur cette photo – toujours entre guillemets – « récente » semble à peine en avoir trente.

— C'est exactement ça.

C'est alors seulement que, de l'autre côté de la vitre, la dame entre deux âges qui traitait ma demande a quitté des yeux le formulaire de renouvellement de ma carte nationale d'identité (Cerfa numéro 12101*02, rempli EN MAJUSCULES et sans ratures), et les a enfin posés sur moi. Elle a eu une seconde d'arrêt. Une brève frayeur. Puis elle a regardé à nouveau les deux photos posées devant elle.

— C'est vous.

— C'est moi.

— Mais vous n'avez pas quarante-quatre ans.

— Si. Quatre-vingt-dix-sept moins cinquante-trois.

— Chef !

— Je…

— Chef !

Il a fallu moins d'une minute au chef pour apparaître, deux minutes à la dame pour lui expliquer la situation et cinq secondes pour que leurs regards passent à nouveau plusieurs fois de mon visage aux photos. C'est le chef qui a pris la parole, avec un sourire cruel – de chef.

— J'ai eu ici des femmes qui ont tenté de tricher sur leur âge, oh, quelques mois par-ci par-là, de maquiller une année ou deux, un trois qu'on prétend être un huit, un un qu'on truque en sept, elles voulaient se rajeunir, je peux comprendre ça, coquetterie, vanité, désespoir même, mais chercher à se vieillir, madame, euh, Rousseau, madame Rousseau, surtout se vieillir de plus de dix ans, j'avoue que quelque chose m'échappe, me turlupine, voire. Vous n'êtes pas votre fille, je veux dire, la fille de cette dame ?

Ce fut très compliqué.

Grâce à Dieu, le chef avait un chef, une femme en l'occurrence, qui s'est emparée du formulaire, des pièces justificatives et des fameuses photos, m'a demandé de l'accompagner dans son bureau où elle m'a fait asseoir, m'a proposé de boire quelque chose, eau, c'est gratuit, café à la machine, cinquante centimes, ça ira comme ça, je vous remercie, et m'a priée de lui redire mon histoire.

Dans l'après-midi défilèrent tour à tour André, notre fils Sébastien, Odette et Fabrice, qui eurent à attester sur l'honneur que j'étais bien qui je prétendais être. Hagop Haytayan fut joint par téléphone. Il confirma avec sérieux *l'affliction* dont j'étais atteinte, une inexplicabilité médicale, madame la sous-commissaire, qui me priverait tôt ou tard des joies de la vieillesse, de ces affectueux surnoms de « mamie », « mémé », ou même « mère-grand » ; merci docteur, j'ai compris. Tard dans l'après-midi, la photo « récente » a été approuvée et ma demande de renouvellement de carte d'identité validée. La sous-commissaire m'a accompagnée sur le trottoir, s'est excusée des proportions qu'avait prises cette affaire et m'a invitée à boire un verre au bar d'en face, Aux filous, ce que j'ai accepté, amusée ; j'ai commandé un kir, santé maman, et elle, un bourbon sec.

Avant que le serveur nous apporte nos boissons, les yeux plantés dans les miens, le cœur, je suppose, battant à tout rompre :

— Martine…

— Betty.

— Si vous voulez, Betty. Tout ce que vous voulez. Mais donnez-moi le nom de votre crème anti-âge.

À trente ans (quarante-cinq), je vivais depuis plus de deux ans dans un grand studio, rue Basse.

J'avais perdu l'envie de cuisiner, découvert chez Picard les plats pour personnes seules, et lorsque mon fils venait déjeuner je faisais livrer ses chers sushis.

André et moi étions restés amis. Il passait de plus en plus de temps en Suède où il choisissait ses mélèzes, ses trembles, ses épicéas, et, lorsqu'il revenait, il ne manquait jamais de m'appeler ou de m'inviter à dîner ; j'étais chaque fois ensorcelée par son regard triste, toi Gene Kelly, moi Françoise Dorléac ; je l'aimais encore, je l'aimais toujours.

Je rédigeais mes textes pour La Redoute en regardant des séries télé – *Dawson*, mon côté fleur bleue, *Dr Quinn, femme médecin*, même si elle m'agaçait terriblement, *Urgences*, ah, Doug Ross, et *Twin Peaks*. Je n'envisageais ni chien ni chat de compagnie, ils auraient été capables, à quatre ans, de me reprocher d'être plus jeune qu'eux. Je traînais le soir au yoga et devins la reine de la posture du guerrier au soleil – *viparita virabhadrasana* – et de celle, difficile, de l'arc – *dhanurasana* –, regardez Betty, jubilait Sādhu (Liliane-Berthe, de son vrai prénom), inspirez-vous toutes d'elle. Odette et Fabrice passaient souvent – on est tes anxiolytiques, *ma chère* ; ils apportaient des gâteaux, du saucisson, du vin. Elle travaillait toujours pour les cosmétiques Odylique, je résiste aux petites putes qui tournicotent et tiens, ils m'ont filé une nouvelle voiture, une Opel Corsa, très mignonne, j'ai même pu choisir la couleur ; elle avait opté pour un crème qui se mariait avec la nouvelle teinte platine de ses cheveux. Fabrice la photographiait en permanence : lorsqu'elle goûtait la salade, buvait une gorgée de vin, repoussait une mèche blonde, se jetait dans mes bras, réajustait son soutien-gorge dans lequel ses nouveaux seins manquaient d'air, *après les seins, le ventre, après le ventre, les genoux* ; j'en ferai peut-être un livre un jour, dit-il, sur le thème de la construction de soi, et je ne fis aucun commentaire.

Le samedi midi, je déjeunais chez Françoise et papa ; il allait ensuite somnoler dans un horrible fauteuil relax électrique en skaï marron ; après la vaisselle, Françoise reprenait son tricot, elle faisait des pulls, des écharpes, des bonnets pour les détenus de Poissy, où Michel était emprisonné, mais je ne sais pas ce que ça devient, soupirait-elle, si les gardiens les leur donnent ou les gardent pour eux ; et moi, je feuilletais, lunettes loupe sur le nez, les magazines qui traînaient et constatais chaque semaine, effarée, que j'avais désormais la vie d'une vieille fille.

Un comble.

Je me remis alors à sortir ; parfois avec une ou deux rédactrices de La Redoute, mais le fait d'être leur supérieure empêchait une certaine sincérité ; le plus souvent c'était donc avec Odette. Nous allions au Pubstore le soir, mojito pour elle, kir pour moi. Le lieu avait gardé son originalité, « On a tout changé pour rester les mêmes » clamait le nouveau slogan, mais on n'y croisait plus les rêveurs élégants, enfiévrés, de mes années Catho : Jean-Paul, Céline, Christian, Laetitia, Liza, nous tous, les gamins qui retraçaient la géographie du monde, parlaient littérature, Nouvelle Vague, s'enflammaient à propos de Malcolm X, non ; on y croisait plutôt des renards désormais, qui s'approchaient concentriquement de leurs proies, la cravate défaite, l'alliance dans la poche du pantalon ; ils rôdaient, offraient un verre, venaient s'asseoir ; notre différence d'âge apparente les perturbait, vous êtes des copines de bureau ? des cousines ? lesbiennes ? Les affamés fondaient toujours sur Odette, elle les encourageait, riait complaisamment à leurs blagues médiocres – et je suis polie ; quelquefois, après un troisième ou un quatrième mojito, elle se laissait toucher, les genoux, les cuisses, puis elle retirait vivement l'intruse en

s'esclaffant, mais ça ne va pas, je suis *fiancée* !
et tout le monde s'égayait et voulait se fiancer
avec elle, malgré ses cinquante-quatre ans ; c'est
ma bouche, me chuchotait-elle avec une fierté
de reine, ils la regardent et ils *savent* – mais si tu
savais ce que je sais, Odette, si tu savais que ton
fiancé t'a quittée des yeux depuis longtemps, ta
bouche ne rirait plus, ta bouche se tordrait d'une
douleur nouvelle, celle de *l'insécurité*, cette
purulence qui sourd quand s'enfuit la jeunesse.

— Deux cent cinquante mille euros.

Voilà ce que m'a proposé une célèbre marque de cosmétique dont je dois taire le nom qui commence par C. pour faire la publicité de sa gamme anti-âge premium. L'idée était venue d'Odette – parfois, tu parles trop, *ma chère* ; elle l'avait suggérée à Odylique, qui n'avait pas les moyens de s'offrir un mannequin et, de fil en aiguille, C. avait eu vent de mon existence et aussitôt imaginé tout le profit qui pourrait en être tiré. On m'a présenté une maquette d'après laquelle on était censé me voir appliquer une crème sur le visage, dans une lumière très douce, très soignée, presque cotonneuse, je devais avoir un léger sourire pour exprimer le confort de la texture de ladite crème, les cheveux un peu en arrière, dans un effet coiffé-décoiffé afin d'évoquer l'univers du soin, les épaules nues et peut-être, peut-être, c'était à discuter avec moi, la naissance des seins, mais trois fois rien, Betty, juste pour être dans l'intimité du personnage. Il y avait un titre sur la maquette : *Trente*

ans ? Non. Quarante-cinq ! La notule expliquait
que grâce à l'usage quotidien de cette gamme de
soins premium mes rides étaient lissées, mon visage
repulpé, ma peau redensifiée et ma jeunesse retrouvée ; on précisait que la photo n'était pas retou-
chée, parole d'huissier, bref que je faisais quinze
ans de moins que mon âge véritable. J'ai dû recon-
naître que ça avait de l'allure. Bien sûr Odette a
exulté, tu vas devenir célèbre, comme Jane Fonda
et Sharon Stone, qui font des pubs dans le monde
entier, mais elles, Betty, et elle a soudain pris un air
grave, *elles*, je le sais parce que je suis dans la partie
et que dans la partie, tout se sait, elles sont complètement trafiquées au Photomachin, alors que
toi c'est en vrai, tu fais quinze ans de moins que
ton âge, même vingt ! Merci, Odette, mais cela n'a
rien à voir avec les produits C. Peut-être, a-t-elle
riposté, mais deux cent cinquante mille euros, lis
sur mes lèvres : deux-cent-cin-quan-te-mille-euros,
tu te rends compte ? ça permet d'être moins regar-
dante, de voir venir, voilà ce que j'en dis, moi.

Elle a reposé son mojito. M'a regardée droit
dans les yeux.

— Et puis tu peux partager.

Fou rire.

J'ai finalement refusé l'offre au motif que je
trouvais la promesse de « quinze ans de moins »
un peu carambouilleuse. C. a surenchéri de cent
mille euros pour abolir mes scrupules ; j'ai cru
qu'Odette allait faire une crise cardiaque : et tu

dis non ! et tu dis non ! mais à ce prix-là, je le fais, moi, je le fais, et à poil en plus !

Plus tard – arrête Odette ! –, j'ai été contactée par France 3 Nord. Une journaliste du service magazine souhaitait me rencontrer, faire un portrait de cinq minutes ; elle voulait quelque chose d'assez frais, un peu *girly* même, on vous suit dans vos habitudes, on vous accompagne dans les endroits où vous achetez vos produits de beauté, vous parlez de vos rituels, de la façon dont vous prenez soin de vous pour rester si jeune, vous évoquez votre alimentation, ou un sport, si vous en faites un. Je l'ai interrompue. On vous a raconté n'importe quoi, je suis désolée. Mais. Je. La plupart des femmes, ai-je poursuivi, rêvent de rester jeunes, mais c'est un malheur, croyez-moi.

Et j'ai raccroché.

Vous rêvez toutes de ce qui m'est arrivé. Mais je suis une bête de foire.

Quinzième photo.

C'était saisissant ; et pour être certain que mes portraits ne soient jamais contestés, Fabrice en avait fait chaque année certifier l'originalité et la date par un huissier de justice.

Quinzième photo ; quinze ans ; quinze visages qui auraient dû raconter ma vie, mes tempêtes, mes alléluias, mes découragements, mes joies, et qui ne racontaient rien.

J'étais devenue *La Belle Jardinière* qui avait tant plu à maman, dans son éternelle jeunesse – une seconde de grâce pour qui la croise brièvement, mais terrifiante si l'on pense au fait qu'elle est figée, comme absente au monde, absente aux vents et aux fureurs ; aucun sentiment, aucune émotion ne paraît plus pouvoir l'atteindre, sa jeunesse est une prison ; elle semble si seule, inentamée.

J'ai regardé mon visage, ce visage de quinze ans de moins que moi, et j'ai pensé avec mélancolie à ces femmes qui donnent tout pour ce qui en vérité est une malédiction – l'homme que j'aimais m'avait

quittée à cause de cela. Je n'attirais désormais que
de jeunes énamourés qui rêvaient d'enfants avec
moi, d'un pavillon, de week-ends à la mer, et des
vieux qui, en ma compagnie, voulaient se consoler
de leur fraîcheur perdue, s'offrir une nouvelle jeunesse. J'ai pensé à ces femmes qui, comme Odette,
se coupent, se défigurent, acceptent de voir s'effa-
cer l'histoire que leur visage raconte d'elles pour
s'imaginer, un an encore, deux ans peut-être,
qu'elles possèdent toujours ce trésor qui attire les
regards pleins de convoitise alors qu'ils ne sont
qu'un appétit, qui suscite le désir, comme si le désir
n'était lié qu'à la beauté et la beauté à la jeunesse.
J'ai pensé à ces femmes, à leur lutte pour tromper
la mort, car c'est de cette désespérance qu'il s'agit,
j'ai pensé à leur combat perdu d'avance contre les
premières rides, les premiers relâchements de la
peau, tout ce qui annonce au monde que quelque
chose d'elles s'enfuit, irrattrapable, leurs corps
fugitifs, leur honte, et j'ai eu envie de crier, hurler
que seul ce qui ne dure pas a de la valeur, et que la
menace de la perte est justement ce qui nous aide
à vivre.

J'ai déchiré ce quinzième portrait de moi parce
que j'aimais l'idée que le temps passe – il rend
unique ce qu'on a vécu.

Depuis quinze ans, sur ces images, il ne s'était
rien passé.

Il était un peu plus âgé que mon fils.

Je ne sais pas ce qui m'a plu chez lui – son insolence, son audace ou son charme – mais je l'ai repoussé aussitôt : je pourrais être votre mère. Il s'est mis à rire, une maman qui aurait quoi, quatre, cinq ans de plus que son fils ? Au moins vingt. C'est la réplique la plus stupide qu'on m'ait faite, chuchota-t-il, et j'ai rougi et c'est à cette gêne que j'ai su que je m'offrirais à lui.

J'ai reposé les livres que je m'apprêtais à acheter.

— Viens.

À trente ans (presque quarante-six), j'ai couché avec un très joli garçon de vingt-cinq ans ; mon Dieu, j'avais oublié leur énergie, leur empressement. Il m'a prise trois fois cet après-midi-là, inépuisable, enthousiaste (merci Sādhu – Liliane-Berthe de ton vrai prénom – de m'avoir enseigné et permis de maîtriser parfaitement la posture de la charrue – *halasana* –, faute de quoi j'aurais été bonne pour le Samu) ; enfin, lorsqu'il fut avéré qu'il lui faudrait un certain temps avant de retrouver sa vigueur, il est venu se blottir contre moi, presque penaud, et cela m'a touchée.

Je redoute toujours les mots d'après ; faire l'amour est toutes les phrases possibles, cela n'appelle pour moi que le silence.

Il n'a pas parlé.

À trente ans (presque quarante-six), par désinvolture plus que par passion, j'ai entamé une relation avec Xavier S., vingt-cinq ans, événement qui excita terriblement Odette : tu te plains de ne pas vieillir, mais regarde l'intérêt de ce qui t'arrive ! s'exclama-t-elle, ça te permet de te taper des petits jeunes sans qu'on te traite de tous les noms, ah, la chance, la chance ; mais dis-moi, il est doué le môme ? Xavier travaillait le jour chez un notaire où il rédigeait des actes de transactions immobilières et la nuit, lorsqu'il n'était pas dans mon lit, son roman ; le livre de ses tripes et de son cœur, prétendait-il, une démesure, son *Au-dessous du volcan* à lui ; sa ferveur me charmait, elle me rappelait la mienne, mes vingt ans vingt-cinq ans plus tôt, au Pubstore, les enchantements ; l'époque était alors si riche de promesses que même les désillusions nous ravissaient, même les chutes nous galvanisaient. Nous n'avions pas changé le monde, il nous avait changés ; nous étions juste devenus ces petites particules de poussières qui volètent dans l'air et que l'on voit parfois dans un rayon de soleil ; et lorsque Xavier me lisait certains passages de son livre, des phrases violentes, choquantes, je laissais ses mots, comme ces poussières de nous, s'envoler, je ne les attrapais pas, ils se volatilisaient, et il riait, il riait, et son rire était clair ; il disait, c'est beau, hein Betty ? c'est beau, t'es sur le cul, je le sais, sur le cul, et je riais également, mais d'un rire de maman qu'il ne pouvait soupçonner, un rire comme des bras qui s'ouvrent et se font le lieu de tous les voyages.

Avec lui, j'avais sans cesse l'impression que j'allais être démasquée ; je répugnais à ce qu'il me tienne la main dans la rue ou m'y embrasse, j'étais mortifiée à l'idée que quelqu'un voie nos vingt ans d'écart, nous montre du doigt, persifle, elle couche avec un ami de son fils, ou peut-être même son fils, allez savoir, quelle honte, quelle salope, oui, je te balancerais un seau d'eau glacée, moi ; mais rien ne vint, on ne me tondit pas la tête.

Nous étions un jeune couple bien assorti ; à la mer, lorsque nous allions certains week-ends vers Le Touquet, Berck, Stella Plage, des gens nous souriaient, cherchaient à faire notre connaissance, jouez-vous au tennis, seriez-vous tentés par un golf, vos parents possèdent-ils une maison dans la forêt, et nous allions parfois avec ses amis boire un verre au Westminster ou au Manoir – je choisissais le même vin qu'eux pour ne pas avoir à sortir mes lunettes ; je découvrais une jeunesse bien différente de la mienne, celle qui s'achevait avec le siècle : les garçons roulaient trop vite dans les Range Rover de leurs pères et les filles passaient leur temps à

s'envoyer des messages en gloussant sur leurs nouveaux téléphones portables ; j'avais l'âge de leurs
mères ; aussi, un soir, lorsque au milieu des autres
Xavier a posé sa main sur mon genou, cherchant
à caresser l'intérieur de ma cuisse, je l'ai repoussé
discrètement, embarrassée, et plus tard, il m'a fait
une scène dans notre chambre du Manoir, une
vraie petite scène d'adulte, au prétexte que je lui
avais *filé la honte*, que, putain, on est ensemble,
merde, à quoi ça sert si je peux pas te toucher, tu
aurais vu la tête de Stéphanie quand elle a remarqué que tu me repoussais, etc., et voyant que je ne
réagissais pas, il a envoyé valser la chaise la plus
proche de lui contre le mur où elle s'est brisée – la
violence des hommes naît toujours d'une misère ;
j'ai étouffé un cri ; il s'est calmé aussitôt, s'est
approché de moi, tremblant, comme un chiot qui
craint la raclée ; je te demande pardon, Betty, je
suis désolé ; et moi qui avais un garçon à peine plus
jeune que lui, qui connaissais les emportements, les
fougues des fils, je l'ai pris dans mes bras ; je sais,
Xavier, tu m'aimes, et souvent, aimer, c'est être
seul.

À trente ans (quarante-six passés), mes examens médicaux confirmèrent tout le bien qu'ils pensaient de ma santé.

Mon intérieur vieillissait tout à fait normalement, l'oxydation altérait mes tissus, la détérioration de mes mitochondries se présentait au mieux et faisait, comme chez tout un chacun, baisser l'énergie de mes cellules, la diminution de ma méthylation était parfaite, ma presbytie augmentait correctement, atteignant une dioptrie d'un et demi ; en revanche, mes télomères ne raccourcissaient pas : ce sont eux, m'expliqua Hagop Haytayan, qui sont responsables de la régénération de la peau, d'où ma peau de bébé, mon teint de jeune fille, mes trente ans chaque matin, les regards envieux des femmes et ceux, charmés, des hommes.

Les examens de papa étaient plus inquiétants. Sa sénescence s'accélérait et, bien que ce soit un processus normal, les médecins s'étonnaient de ce qu'elle s'accélérât aussi rapidement. Aux dires de Françoise, le sombre Long John Silver avait refait

surface : papa devenait méchant – un enfant impré-
visible, colérique, dans un corps amputé de géant ;
il m'arrive parfois de cacher sa jambe de résine et
ses béquilles pour le clouer dans son horrible fauteuil couleur caca, m'a-t-elle raconté un jour ; il
t'a fait du mal, Françoise ? ; elle a baissé les yeux
et j'ai su la réponse. Il n'y a que lorsque je venais
que papa était calme. Il me regardait avec cette
expression douce, presque imbécile, de ceux qui
ne savent pas le monde, la fureur des hommes ; il
était avenant et me parlait d'une belle voix, comme
on prend une *belle plume* pour écrire ; je suis
content que tu sois là, content que tu sois rentrée,
je t'ai attendue toute la journée avec Jeanne ; qui
est Jeanne ? notre fille, nous avons regardé la télévision, fait-il froid dehors ? tu as les joues toutes
rouges et le vent a décoiffé tes cheveux ; alors
chaque fois Françoise se réfugiait dans sa chambre,
et lorsque je lui disais au revoir, ses yeux avaient
pleuré. J'aimais Françoise, j'aimais son cœur d'or
et sa patience, jamais elle ne se plaignait. Quand je
suis revenue par la suite, elle en profitait toujours
pour sortir, rejoindre quelques anciennes ven-
deuses du Chat Noir, savourer des macarons chez
Méert, une Joséphine ou des gaufres à la vanille de
Madagascar, retrouver la sapidité du monde.

Quelques semaines plus tard, elle plaça papa en
maison médicalisée.

— J'aimerais maintenant être de nouveau jeune,
me dit-elle. Avoir ta chance.

— Ce n'est pas un cadeau d'être comme moi, Françoise. On me regarde mais ce n'est pas moi qu'on voit. Juste une anomalie. Une illusion.

— Peut-être, mais au moins je me sentirais belle.

— Tu l'es.

— Non, Betty. Belle, c'est lorsqu'un homme ne vous a pas oubliée.

À trente ans (quarante-sept), Xavier mit le point final à son roman et à notre relation.

Il m'avait vue sortir de mon studio en compagnie d'un autre garçon : nous plaisantions, je lui avais caressé une joue, embrassé l'autre ; et Xavier s'était persuadé que j'avais une aventure avec *ce type*. Il a eu des mots méchants, comme toujours les hommes lorsqu'ils ont peur. Je ne me suis pas défendue. Je ne lui ai pas dit qu'il s'agissait de mon fils Sébastien avec qui je venais de déjeuner comme chaque mardi depuis que son père m'avait quittée ; parce qu'on n'a pas un fils de vingt-deux ans quand on en paraît soi-même trente, que cette idée est tout à fait inconcevable – même pour un jeune écrivain qui vient d'achever *le livre de ses tripes et de son cœur*.

À quarante-sept ans, puisque j'en faisais trente, et que, d'ailleurs, j'en avais trente aux yeux du monde, je me suis mise à fréquenter certains bars d'hôtels en fin d'après-midi – le Bellevue, le Couvent des Minimes, L'Hermitage Gantois. Je lisais.

J'attendais. Je frissonnais. Je voulais être comme les femmes de mon âge qui rêvent d'avoir à nouveau trente ans, d'être à nouveau croquées, d'entendre une fois encore le vocabulaire singulier du désir et de le savoir pour soi. Je rêvais de dire oui, oui la place est libre, oui je vais boire la même chose, non je n'attends personne, et de savourer l'effet que trois mots produisent sur l'appétit d'un homme, et puis rire, pour le rassurer, et puis monter dans sa chambre, m'affubler de n'importe quel prénom, le laisser me toucher, me découvrir, me contempler, oser des phrases inconvenantes quand il me prend, oser être précieuse.

À trente ans (quarante-sept), j'eus quelques agréables amants de fin d'après-midi.

Mais aucun ne trouva en moi ce qu'avait découvert mon mari.

Dix-septième photo.

Le même fond perlé. La même lumière. Le même chemisier blanc, porté pour la dix-septième fois. La même coiffure. Les mêmes lèvres entrouvertes. Peggy Daniels. Un miracle chaque fois semblable se répétait, curieux et fascinant.

À quarante-sept ans, je n'avais toujours aucune ride du lion, du front, aucune patte-d'oie ni ride du sillon nasogénien, d'amertume ou du décolleté ; aucun cheveu blanc, aucun cerne ; j'avais trente ans, désespérément.

Fabrice m'a montré la trente-septième image de son premier modèle. Quarante-neuf ans, toujours aussi beau – quelque chose d'un acteur italien.

La fillette qu'il avait commencé à photographier dans son sommeil à l'âge de deux ans en avait aujourd'hui seize ; et oui, il attendait toujours qu'elle se soit endormie pour prendre la photo. C'étaient des images étranges, mélancoliques : l'Ophélie de Millais, deux vers de Rimbaud – « Voici plus de mille ans que la triste

Ophélie / Passe, fantôme blanc, sur le long fleuve noir ».

Du temps allait être un livre hallucinant. Un livre sur notre effacement.

Il y avait aussi le quatorzième portrait, mille francs à chaque fois ! enfin, cent cinquante euros maintenant, a rectifié Fabrice, mais il est là tous les ans, ce type tout tatoué, rencontré dans un bar à sa sortie de prison ; son visage se ratatinait, comme s'il se mangeait lui-même de l'intérieur.

Et la quatorzième photo de la femme qui avait tant ressemblé à Odette jeune ; elle avait désormais perdu ses pommettes laiteuses et toutes ses promesses.

Nos regards se sont croisés. Nous y étions.

Il m'a alors présenté un nouveau portrait : une Odette pâle, botticellienne, les cheveux blond vénitien, la vingtaine gracieuse ; je lui ai demandé pourquoi il n'avait toujours pas quitté *sa fiancée* ; je vais le faire, elle se prénomme Sybille ; et Odette va mourir de solitude, ai-je murmuré ; non, elle est forte ; aucune femme n'est forte lorsqu'elle vieillit, Fabrice, elle est juste terrifiée, et en la quittant pour retrouver chez une autre ce qu'elle a été, tu l'assassines.

Une nuit, un an plus tard.

Tout autour de moi, posées sur le lit, les dix-huit photos de Fabrice. Dix-huit fois mon visage. Dix-huit fois le fond blanc perlé, mes lèvres entrouvertes, mes cheveux détachés. Dix-huit fois la même image, à l'exception de l'année de la prise de vue, inscrite au feutre noir en bas à droite. Dix-huit années. Mes doigts caressent les yeux de papier, les joues, les bouches qui ne sourient pas. Mes doigts s'agitent. Je transpire. Mon cœur s'emballe. Il y a quelque chose d'effroyable dans cette série, et de sublime à la fois. Une inaltérabilité. Une permanence défiant l'entendement. Et bien que ce soit le cœur de la nuit, fébrile, je compose le numéro de Hagop Haytayan. Il décroche presque aussitôt, la voix parfaitement claire – un *allô ?* très calme. Il me reconnaît tout de suite. Docteur, est-ce que vous pensez que. Les mots, monstrueux, extraordinaires, restent coincés dans ma gorge. Que. Que je pourrais être immortelle ? Non, Betty, chuchote-t-il, non. Vous mourrez jeune, c'est tout. Je veux dire, de vieillesse.

Mais jeune.

Long John Silver occupait une chambre à Notre-Dame-de-la-Treille à Valenciennes, dans un ancien hôtel particulier qui avait longtemps appartenu à une famille de riches marchands de toilette, les Serret.

Les médecines étaient venues à bout de ses humeurs et quand nous lui avons rendu visite, il était calme, presque détaché – hébété, diagnostiqua Françoise. Nous avons passé une heure auprès de lui. Françoise l'a remercié pour les moments de grâce qu'il lui avait offerts, comme l'Italie, lorsqu'elle était malade de Michel, comme le kir qu'il préparait par fidélité à ma mère, comme les escapades à Bray-Dunes, Zuydcoote ; il a peu parlé, à peine de ce qu'il mangeait – c'est trop salé –, de ce qu'il regardait à la télévision – elle est bloquée sur la 2 ; parfois, il m'examinait en coin puis dodelinait de la tête et soupirait en sifflant dix fois, vingt fois, cent fois le prénom de maman.

Françoise ne pleurait plus.

Au retour, nous nous sommes arrêtées à Petite-Forêt ; un café, une tartelette au Flunch ; nous sommes restées longtemps silencieuses, pas envie de parler de lui, de mettre des mots sur cet anéantissement-là ; pour la seconde fois de sa vie Françoise avait été quittée pour une femme plus jeune mais cette fois, c'était un fantôme et on ne peut rien contre les fantômes.

Elle m'a considérée avec douceur. Es-tu heureuse, Betty ? J'ai baissé un instant la tête. Puis j'ai évoqué ma joie et mon désarroi à ne pas vieillir. J'ai évoqué cette ferveur enfantine à découvrir chaque matin que rien n'a changé sur mon visage, à savoir qu'on m'adressera les mêmes sourires dans la rue, comme des compliments, que des hommes m'aborderont encore dans les hôtels, puis-je vous offrir la même chose, ma timidité m'empêche de vous dire que vous êtes belle, avez-vous vu *American Beauty* dont tout le monde parle, lu le nouveau Goncourt, vous avez l'élégance d'un portrait de Raphaël. J'ai évoqué ce que je croyais plus jeune, à savoir que c'est dans la permanence des choses que se trouve le bonheur, mais je me suis trompée, Françoise, la constance est un effroi.

Mon mari m'a quittée parce que je ne changeais pas, parce que mon apparence mentait, qu'elle ne nous racontait plus, parce que ma permanence était le miroir de sa finitude.

J'ai évoqué mon amertume à être une femme de trente ans depuis plus de dix-huit ans, à voir se modifier le monde autour de moi sans avoir le sentiment d'en faire partie. J'ai évoqué ma peur à venir : d'ici peu mon fils aura mon âge, puis il aura l'air plus âgé que moi, il m'appellera par mon prénom, je deviendrai une sœur, une amie, jamais plus je ne serai sa maman. J'ai évoqué ma mère, que j'aurais tant voulu voir vieillir, avec de jolies rides qui auraient calligraphié sur son visage ses rires, ses plaisirs, tracé ses guerres et ses tourments ; j'aurais aimé la regarder traverser le temps comme un oiseau le ciel, parce qu'une mère qui ne vieillit plus, qui s'est arrêtée, c'est un enfant abandonné derrière elle qui ne grandit plus. Alors heureuse, je ne sais pas, Françoise, mais je l'ai été. Je l'ai été, avec André.

Tu sais que je vais avoir soixante-treize ans, a-t-elle dit, et j'ai été très heureuse, Betty, que tu aies été ma fille une aussi longue partie de ma vie. Tu as été mon allégresse, mon espoir quand Michel faisait ses méchancetés. Grâce à toi, la honte ne m'a pas tout à fait poignardée, j'ai pu rester debout, j'ai pu rester une maman, avec dignité, et je suis aussi reconnaissante envers Paule, ta maman, qui était sans aucun doute une femme courageuse puisque je connais ses douleurs, les colères de ton papa, la folie des hommes qui ne s'aiment plus.

J'ai eu envie de pleurer, j'ai posé ma main sur la sienne.

Je suis contente aussi que les choses ne durent pas, tu sais, qu'elles s'achèvent, car cet achèvement charrie ce qui nous tue, comme ce qui nous libère. Et j'ai besoin de cette liberté maintenant, Betty.

Encore quelqu'un que j'aimais, qui me quittait.

La photo était assez discrète, imprimée au milieu d'autres, dans la page *people* d'un magazine international de décoration – nous recevions beaucoup de magazines à La Redoute, « la doc ». On y voyait André en compagnie d'une jolie femme de son âge, une Jacqueline Bisset suédoise – il y a plus moche – lors d'un vernissage au Kompanihuset, à Malmö, Suède. La légende précisait : *Famous French designer, André Delattre, with his fiancée, Lena Åberg, at the preview for his new furniture collection.*

C'est le mot français dans la légende qui fit le plus mal.

À trente ans (quarante-neuf), j'ai vu mon mari heureux au bras d'une autre, mais je ne me suis pas effondrée.

Peu après, j'ai fêté avec mon fils ses vingt-cinq ans lors d'un long et merveilleux week-end à Paris ; restaurants japonais dans la rue Sainte-Anne ; la Grande Galerie du Louvre, salle 5, *La Belle Jardinière*, je lui ai parlé de maman qu'il

n'avait pas connue, sauf au travers d'un Polaroïd ;
je lui ai raconté son émotion devant cette toile de
Raphaël, cette beauté un peu perdue, ce temps
qui glisse, ne s'installe pas, ces fracas qui ne
marquent pas, comme sur toi, m'a-t-il dit, comme
sur moi, Sébastien, c'est vrai, et il m'a prise dans
ses bras, ce grand gaillard plus grand que moi,
plus grand que son père désormais, il a chuchoté à mon oreille qu'il m'aimait comme j'étais,
que j'étais la plus jolie des mamans, et comme
j'étais émue, qu'il pressentait des larmes embar-
rassantes, il a ajouté en riant que cela changerait
peut-être un de ces quatre, que je me réveillerais
sans doute un matin toute vieille, archi-vieille
même, ridée comme une pomme pourrie, sen-
tant la naphtaline, le moisi, et mon rire s'est mêlé
au sien jusqu'à ce qu'on nous regarde comme
de jeunes amants ; alors la magie s'est envolée
et le chagrin, comme des cendres, sur nous est
retombé.

Dans le train qui nous ramenait de Paris, Sébastien m'a appris qu'il était allé voir son père en
Suède quelques semaines plus tôt, qu'il avait rencontré Lena ; et ? ai-je demandé ; et rien, elle est
très amoureuse et papa est plutôt *cool* avec elle ;
ah ; mais il m'a surtout parlé de toi ; et ? ; et je
crois que ; que quoi ? ; il m'a beaucoup parlé de
vous, de votre rencontre, je ne savais pas qu'il
t'avait draguée dans la rue ; j'ai souri, et ? ; et rien,
je l'ai trouvé touchant quand il parlait de ça ; mais

il va se marier ? ; mais il va se marier, et je n'irai
pas à leur mariage, maman, je te le jure ; allons
boire quelque chose à la voiture-bar, tu veux bien
Sébastien ?

Le lendemain, j'ai pris une autre claque.

— Vous êtes licenciée.

— Pardon ?

— Licenciée. Nous allons nous séparer.

— Je sais ce que ça veut dire. Pourquoi ?

— On est au vingt et unième siècle, Betty, le monde a changé. La VPC a changé. C'est l'heure de l'ordinateur désormais. Tout va se faire par ordinateur.

— Peut-être, mais ce n'est pas un ordinateur qui va écrire mes textes.

— Vous seriez étonnée. Il n'y a pas longtemps, un ordinateur a battu un homme aux échecs. Et pas n'importe qui. Kasparov.

— Ce sont des mathématiques. Moi je vous parle de mots.

— Bon, nous ne sommes pas là pour, enfin, si, mais… je suis désolée Betty. Vraiment désolée.

— Avec dix-neuf ans d'ancienneté ?

— Vous n'êtes pas la seule. C'est un plan social. La VPC change, elle doit adapter ses coûts.

— Pour que les ordinateurs écrivent comme nous ?

— C'est ça. Et parce que le catalogue nous coûte trop cher. Le prix du papier, du transport. Nous allons présenter les produits en ligne désormais. Ce sera très ludique pour les gens, très efficace, vous verrez.

— Je ne verrai rien du tout. J'ai cinquante ans. Vous savez bien qu'à cinquante ans, on est vieille pour le marché de l'emploi, on est un fossile. Votre poubelle, c'est la boîte aux lettres de nos CV.

— Euh, vous avez cinquante ans ?

— C'est marqué là, dans votre dossier.

— Ah. Ah, oui. Tiens. Mais…

— Mais quoi ?

— C'est curieux, Betty, vous ne les faites pas du tout. J'aurais juré que vous aviez trente ans et comme vous êtes… jolie, j'ai pensé que vous retrouveriez facilement du travail.

— C'est dégueulasse ce que vous pensez. C'est une pensée de mec, d'ailleurs, de mec con en plus. Qui fait que passé un certain âge les femmes se détestent.

La jeune directrice des ressources humaines s'est détendue dans son gros fauteuil en cuir de directrice des ressources humaines qui couinait, elle m'a considérée quelques secondes, comme on le fait, je suppose, en regardant un mannequin dans un magazine de mode, une sorte d'envie mêlée d'agacement ; puis elle a souri, carnassière.

— Non. Sérieusement, Betty, vous n'avez pas cinquante ans. C'est une blague ? Une faute de frappe ?

— J'ai besoin de lunettes pour lire de près, je commence à avoir des douleurs dans les genoux lorsqu'il fait froid, et dans les mains, je m'endors de plus en plus mal, je suis essoufflée au-delà de quatre étages à pied, et j'ai déjà connu la grande joie de la post-ménopause, donc non, je ne crois pas être une faute de frappe.

Je me dénude.

Je regarde mon visage dans le miroir de la salle de bains. Il ressemble à celui de maman, juste avant la Ford Taunus. Il est exactement le même que sur la photo qu'en a faite Fabrice, il y a plus de vingt ans.

Je regarde ma bouche, mes yeux et mon cou. Mon corps est resté ferme. On ne soupçonnerait pas qu'une maternité l'a un jour fendu en deux.

Je regarde mes mains qui ne tremblent pas. La peau du poignet, tellement fine, à l'endroit où l'on coupe lorsqu'on ne s'aime plus, ou qu'on n'aime plus sa vie.

Je regarde ces larmes qui coulent sur mes joues maintenant.

J'éteins la lumière. Je suis dans le noir et j'attends.

Puis je rallume, et ce visage est toujours là. Le noir, de nouveau. La lumière. Ce visage dans le miroir, comme sur un Polaroïd ou une huile sur bois, que le temps a oublié.

J'éteins, encore.

Mes ongles griffent et les larmes sont chaudes sur mes joues. Poisseuses.

Dans le noir, la peinture rouge coule sur le tableau.

Fabrice a quitté Odette à la fin de l'hiver et s'est installé avec celle qui lui ressemblait, mais avait l'âge d'un printemps.

Et moi, à trente ans (cinquante et un), j'étais professionnellement bonne pour la casse.

J'ai passé deux jours chez Odette, elle a beaucoup pleuré, j'ai pleuré aussi, elle a beaucoup bu, trop, l'ivresse la faisait sangloter davantage, ou rire d'un coup, sans raison, ses mots se mélangeaient, avec ton âge, c'est sûr *ma chère*, t'es cramée, par contre, avec ta gueule, mais dis-moi, t'as un chat maintenant ? non ? j'aurais cru tiens, avec ta gueule, je disais, et elle a pleuré à nouveau, son rimmel coulait, dessinait des ronces, c'est vraiment vilain tes griffures, et moi, regarde ma tronche, Betty, c'est moche aussi, je voulais rester belle pour lui, mais, putain, putain, pourquoi il leur faut des gamines à tous ces cons, leurs chattes c'est pas des fontaines de jouvence que je sache ; et rires et larmes se mêlaient ; c'est un mec, les griffes, t'as un mec, c'est ça ? un impatient ? ; non Odette, je n'ai pas de mec ; j'ai soixante piges, a-t-elle dit, et mon jules me largue pour une pute de vingt ans, quel salaud, en plus, il devenait beau en vieillissant ce con, plus beau qu'avant, tous des merdes les mecs, si, tous, et même le tien, tiens, qui t'a jetée parce que t'as vingt ans ; trente, Odette ; c'est pareil, ils veulent toujours ce qu'ils n'ont pas, comme les mômes, oh, putain, ma tête.

Le deuxième jour, les yeux rouges, la bouche pâteuse, elle s'est enfin extirpée du canapé. Je vais prendre une douche, je cocotte, et je vais aller me taper des gamins, Betty, des jeunots de vingt balais, je vais leur montrer ce que ça sait faire une vioque, une princesse.

Et elle s'est effondrée en larmes.

Quelques mois plus tard, mon demi-frère Michel est sorti de prison où il avait passé dix-sept ans. Françoise est allée le chercher à la Maison centrale de Poissy. Il avait les cheveux tout blancs, le corps brisé d'un vieillard – alors que nous avions le même âge, enfin, la même année de naissance. Il lui manquait des dents, et peut-être même la langue puisqu'il n'a pas parlé. Pas un seul mot. Françoise l'a conduit jusqu'au pavillon qu'elle avait acheté avec papa à l'époque où elle était sa béquille, sa jambe droite, au temps où il savait la rassurer ; elle a montré à son fils le réfrigérateur plein, sa chambre, ici les draps, les serviettes, des vêtements neufs, ici, brosse à dents, dentifrice, savon ; au salon, la télévision, les boutons sur les télécommandes pour les différents appareils ; à la cuisine, elle lui a préparé un sandwich au beurre de chocolat comme elle se souvenait qu'il l'aimait tant avant, avant les motocyclettes, la noirceur et les méchancetés, elle a poussé vers lui une boîte à biscuits en fer-blanc, il y avait de l'argent à l'intérieur ; elle non plus n'a pas prononcé un seul mot, n'a rien demandé, ni explication ni pardon, puis, lorsqu'elle a vu Michel tendre la main vers le pain tartiné d'enfance, alors elle s'est levée, a replacé la chaise sous la table, sans faire grincer les pieds, a pris son manteau, son sac, et elle est sortie.

C'est ce jour-là que Françoise a disparu de nos vies.

À trente ans (cinquante-deux), après une formation de trois mois au métier de tapissier – spécialisation rénovation chaises, fauteuils et canapés –, j'ai ouvert un atelier sur une charmante cour pavée, Le Mal Assis, rue de la Halloterie. J'ai mis des fleurs, une table et trois chaises, le voisinage venait boire un thé le matin, un verre de vin blanc le soir, et très vite, j'ai eu assez de travail pour occuper mes mains et mes jours. J'avais une sélection de tissus d'ameublement *vintage* – Pierre Frey, Lelièvre et Francesca Laubscher, une ancienne de chez Canovas – qui émerveillait les clients ; lorsqu'il faisait beau, je crantais, anglésais, sanglais dans la cour sous l'œil charmé des voisins. On disait : c'est bien qu'une jeune femme se lance dans ce genre d'activité, et je souriais en pensant que je donnais aux meubles une nouvelle jeunesse. Une cliente m'a un jour demandé ce que j'avais fait avant d'être tapissière, j'ai répondu sans réfléchir : institutrice pendant quatre ans, puis maman, puis rédactrice pour La Redoute pendant vingt ans ; elle a éclaté d'un rire clair : en plus d'être douée, vous êtes tordante, a-t-elle dit.

Un midi, j'ai vu André traverser la cour.

Dix mois que nous ne nous étions vus.

La dernière fois, c'était en juin. Un déjeuner en terrasse – comme avant, au temps où l'avenir était à venir, où nous pensions traverser un siècle ensemble, jusqu'à devenir un jour deux petits vieux dont la beauté, la tendresse ont déteint sur l'autre ; Sébastien nous avait rejoints au moment du dessert et pour une heure nous avions été à nouveau une famille. André et lui avaient parlé de choses d'hommes – cette nouvelle voiture hybride de marque japonaise, qui semblait faire un malheur, la victoire d'un Espagnol je crois, dans une course automobile – et je n'avais pu m'empêcher de les revoir, vingt ans plus tôt, lorsqu'ils s'échangeaient les mots des arbres, *houppier*, *écorce*, *aubier*, les noms des vents, *grain blanc*, *galerne*, *aquilons*, ou qu'ils partaient pêcher au ruisseau de Sainghin puis rentraient avec une grosse sole achetée chez le poissonnier, que je m'émerveillais de leur prise et que Sébastien riait, riait, et il me semblait alors que rien ne pourrait jamais nous séparer.

Puis notre fils était reparti pour Amsterdam où il travaillait. André et moi avions bu un dernier café, et nous nous étions quittés.

Je l'ai vu traverser la cour, ce jour-là, et mon cœur s'est emballé encore ; j'ai eu de nouveau dix-huit ans, ce qui, d'une certaine manière, était bien le problème, et j'ai couru vers lui. Il m'a prise dans ses bras, nous a fait faire un tour sur nous-mêmes avant de nous immobiliser. Nous sommes restés de longues secondes dans les bras l'un de l'autre, et l'une des habitantes de la cour qui arrosait ses aza-lées et ses hibiscus a lancé : c'est une chance pour un papa d'avoir une fille comme vous ! André a desserré doucement son étreinte, nous nous sommes regardés et avons ri ; enfin.

J'ai débouché une bouteille de vin blanc, et nous avons pris l'apéritif là, sur ma petite table en fer, dans cette cour fleurie ; tu es bien ici, je suis content pour toi ; tu as vu, je fais des fauteuils, et des chaises, comme toi ; il a levé son verre pour trinquer ; j'ai vu, mais toi, tu les répares, tu leur redonnes vie ; toi aussi tu redonnes vie aux choses, André, tes mains possèdent ce génie ; il a poussé un long soupir, j'arrête le design ; mais ; laisse-moi te dire, Betty, j'arrête parce que je suis de moins en moins libre, mon éditeur veut absolument me faire signer avec Ikea, un gros contrat, quatre col-lections en deux ans, un cahier des charges impos-sible, des coûts *a minima* ; et toi tu aimes le hasard, je sais, tu aimes bifurquer quand le vent change de

direction ; il a souri, de ce sourire que j'aimais tant ;
tu me connais bien, Betty ; je ne t'ai pas oublié,
André, et puis tu es comme tes parents : les choses
doivent venir du cœur, pas de l'esprit, et arrête de
me regarder avec ces yeux-là ! ; pardon ? ; Gene
Kelly ; et nous avons ri encore et c'était bon.

J'ai filé acheter quelques fromages, du rai-
sin, un pain aux noix et nous avons pique-niqué
dans la cour. Je l'observais. Ses cheveux poivre
et sel. Deux jolis sillons en travers des joues lorsqu'il souriait. La soixantaine arrivait, elle lui allait
bien, et s'il n'avait pas été le plus beau de tous
les garçons, pas le plus laid non plus, les années
lui avaient apporté un charme incroyable. Trou-
blant. Plus tard, il m'a raconté que les *fiançailles*
avec Lena avaient été, comment dire ? suspendues, non, interrompues, nous avions d'importants
désaccords sur les choses de la vie (fasse, maman,
qu'il n'ait pas perçu mon infime soupir) ; il était
définitivement rentré en France il y a environ six
mois, avait acheté un ancien corps de ferme, non
loin de celle où il avait grandi ; nous avons évoqué
Renée, sa maman, quatre-vingt-cinq ans déjà, toujours dans le Sud, dans un Ehpad depuis quelques
mois, elle attend, nostalgique de sa jeunesse perdue, si tu savais comme elle a peur ; j'ai alors posé
ma main sur la sienne – il n'a eu aucun mouvement
de recul –, je sais, mais ce n'est pas la jeunesse
qui s'en va, André, ce sont les gens, quand on
devient vieux affleure notre visage de mort, notre

effacement à venir, la frayeur de penser qu'il y a un monde qui tournera sans nous ; son sourire m'a fait taire ; stop, on parle de ce qui est vivant, Betty, et joyeux, tiens ! sais-tu que je m'apprête à rejoindre « La Cabane Perchée », la formidable aventure d'Alain Laurens, un type épatant – *c'est l'arbre qui accueille, qui décide de la place et du dessin de la cabane ; la cabane qui s'installe, sans que jamais l'on coupe une seule branche ou plante un seul clou.* Je me suis réjouie pour lui.

Puis il m'a demandé moi. Je vis seule, ai-je répondu ; j'ai croisé quelques types, mais c'est tordu : les jeunes veulent s'installer, avoir des enfants, et les vieux veulent juste une jeune ; je suis toujours proche d'Odette, elle ne se remettra jamais du départ de Fabrice, on va sans doute partir toutes les deux au Portugal cet été, un club de vacances, à Albufeira ; je suis restée seule, André.

Seule, comme misère.

Plus tard dans l'après-midi, alors qu'il devait partir, nous nous sommes longuement étreints. Dans la vitre de mon atelier, j'ai vu nos reflets, j'ai vu nos visages, j'ai vu ces trente ans qui nous séparaient.

Une vie perdue.

Dès le début du film, un spectateur fut pris d'un fou rire irrépressible qui entraîna, pendant une heure et demie, celui de toute la salle et je n'ai jamais su si c'était *Little Miss Sunshine* qui était hilarant ou le fou rire de cet homme.

En 2007, une gamine boudinée d'Albuquerque (Nouveau-Mexique) rêvait de remporter un concours de beauté, et ce que je redoutais approchait à grands pas.

L'année suivante, j'eus l'âge de mon fils.

Puis celle d'après, il fut plus âgé que moi.

À trente ans (presque cinquante-six), Sébastien m'annonça qu'il voulait me présenter Saga – il me montra quelques photos –, une grande blonde qui travaillait avec lui au Consulat général de France à Amsterdam et avec laquelle il avait envie de vivre, de manger bio, d'avoir des enfants blonds, un labrador jaune, une automobile électrique un jour ; Saga, aux côtés de laquelle il rêvait de vieillir lentement, de traverser tout un siècle pour devenir, plus tard, deux petits vieux amoureux qui se tiennent la main, etc.

Il m'a demandé de l'aider à choisir une bague de fiançailles. Je l'ai emmené chez Lepage, rue de la Bourse – j'ai alors pensé à André, trente-deux ans plus tôt, agenouillé sur le pont couvert enjambant la Bouzanne, mes larmes lorsque je lui avais répondu oui. Nous regardions les bagues dans la vitrine, les solitaires ; celui-là est magnifique ! s'est exclamé mon fils, puis il a lu le prix, pas si magnifique que ça, en fait, oh, regarde, là, ce diamant bleu ; c'est une aigue-marine, Sébastien ; il fut à nouveau l'enfant que j'avais vu grandir, que tout émerveillait. Un vendeur est sorti de la boutique, nous a invités à entrer, vous faites un très joli couple, a-t-il commenté, sincère, et alors que mon fils allait le détromper, j'ai été plus prompte, merci, merci beaucoup. Il nous a présenté des bagues de fiançailles que j'ai enfilées à mon annulaire, surprise, enchantée, je poussais des petits *oh !* ébahis qui charmaient Sébastien, il rigolait, m'embrassait parfois dans le cou, ou sur la main, avec la ferveur d'un adolescent déguisé en homme, mon homme, mon fiancé ; et le mariage est prévu pour quand ? a hasardé le vendeur ; au printemps prochain, s'est amusé Sébastien ; avez-vous une idée de la couleur de la robe, cela peut aider pour le choix de la pierre ; non, non, nous n'avons pas encore choisi, mais elle sera toute blanche, comme celle d'Elaine Robinson, avec des broderies ! Puis j'ai reposé la dernière bague, nous allons réfléchir ; j'ai pris la main de mon fils, comme un bouquet, une fiancée, nous sommes sorties dans la rue main dans la main, au milieu du monde, *un très joli couple* ; mon cœur battait à tout rompre, les yeux de mon fils brillaient, nous ne parlions pas ; c'était irréel ; je l'ai entraîné vers le marché de la Vieille Bourse où se tenaient les bouquinistes et quelques joueurs d'échecs ; un couple, la quarantaine, nous a regardés envieuse-ment ; j'avais vingt-cinq ans à nouveau, lumineuse, longues jambes pâles, le même sourire que lorsque André m'avait abordée, à quelques rues d'ici ; je me suis soudain arrêtée, rapprochée de mon fils, j'ai caressé son visage d'homme et d'enfant, sa joue, ses paupières, ses lèvres, comme une maman, une jeune femme, une promise ; je suis restée ainsi de longues minutes à la lisière de ces choses que je perdais et retrouvais en même temps ; il a attrapé mes doigts, les a portés à sa bouche, les a baisés un par un, puis les a relâchés comme on relâche un oisillon du creux de sa main, et j'ai compris son adieu à l'enfance et je me suis sentie heureuse, pour un instant, d'avoir été toutes les femmes de sa vie.

Mais les enfants sont cruels parfois, presque mal-gré eux, ils nous réveillent brutalement : je ne peux pas te présenter comme ma mère, c'est impossible, je suis désolé, maman.

Nos mains se sont séparées, nos corps éloignés l'un de l'autre, nous avons quitté le calme et la fraîcheur de la cour intérieure de la Vieille Bourse pour retrouver la violence du monde, les passants pressés, les voitures – la dysharmonie.

Il me présenta comme sa cousine.

Et bien que je sache qu'il ne dirait pas *mulieris est*, voici ma mère, voici la femme qui m'a mis au monde, voici l'unique, qui m'a aimé au premier jour, à la première seconde, qui a eu peur et froid pour moi lorsque j'ai eu peur et froid, voici celle qui a sorti de son ventre cet homme que je suis, désormais plus grand que son père, cet homme qui t'aime aujourd'hui, Saga, et va te prendre pour épouse ; bien que je sache tout cela, j'ai eu envie de pleurer, de m'enfuir, mais je n'ai pas pleuré ni ne me suis enfuie, car une maman doit rester debout sous le poids du chagrin, de la honte et des larmes.

Les fils apprennent aux mères qu'elles vont mourir.

Nous avons bu un chocolat chaud à L'Impertinente, partagé une tarte aux fruits, mais je rêvais d'être ailleurs parce que je n'étais plus une maman, plus une épouse, plus rien ; seulement une jolie cousine de trente ans, célibataire, tapissière, elle est très douée, précisa mon fils, elle vient de refaire toute une causeuse, appelée aussi fauteuil confident, *a courting sofa, Saga* ; mais je ne lui en ai pas voulu, pas plus que je n'en avais voulu à mon mari lorsque dans la voiture au retour de Paris, il m'avait annoncé qu'il partait.

Mon éternelle jeunesse était un châtiment.

Quelques mois plus tard, André et moi avons voyagé ensemble pour nous rendre au mariage de notre fils, en Hollande.

Dans le Thalys, j'ai eu envie de lui prendre la main. De lui dire que je l'aimais. Qu'il me manquait chaque jour, chaque nuit, depuis plus de treize ans. Que j'avais perdu un bébé, le dix mai 1981, alors qu'il était parti rénover une charpente à Saint-Denis-d'Anjou, alors qu'une moitié de la France chantait son espérance, que l'autre cachait son argenterie.

Il m'a dit que notre fils était une joie de père, une fierté, et il m'a remerciée pour cela.

La fête avait lieu au Waldorf Astoria, *ma chère*, six palais du dix-septième posés au bord du canal Herengracht, comme des perles au cou d'une belle. Ce fut une soirée enjouée, réussie. André et moi étions à la même table, avec huit autres personnes. Foie gras et Yuzu Cream, Zeeland Flat Oyster – je mangeais des parfums. Plus tard est venu le temps des danses, le temps de la jeunesse. André s'est esquivé. J'allais en faire autant lorsqu'un garçon m'a retenue par la main ; grand, blond, hollandais, attrayant. *It's not time for pretty young cousins to go to bed. Unless it's with me*, a-t-il ajouté, sans prétention, sans urgence, avec une charmante délicatesse, même.

Et cette nuit-là, la jeune et jolie cousine de cinquante-cinq ans s'est éclipsée avec le jeune frère de la mariée.

Voilà, ma vie de rêve.

Le chirurgien esthétique me dévisagea longuement, puis d'une voix qui semblait éteinte :

— Vous êtes sûre ?

— Oui.

On lui avait tout demandé et il avait tout vu.

Des femmes de cinquante-sept ans, de soixante,
de soixante-dix, oh oui, et même des plus jeunes,
trente-cinq ans, trente parfois, et même une de
dix-neuf une fois, vous vous rendez compte, dix-
neuf ans ?

Mais ça, ce que vous me demandez, jamais, vous
m'entendez, jamais on ne me l'avait demandé,
jamais je ne l'aurais imaginé.

Oh mon Dieu.

SOIXANTE-TROIS

Voici la trente-troisième photographie.

Je suis debout, comme toujours. Devant ce fond blanc perlé. La lumière est à la fois sévère et élégante. Mes cheveux que j'ai teints en gris sont détachés, le col de mon chemisier blanc est ouvert, deux boutons, on voit la peau de mon cou, qui pend un peu. J'essaie de ne pas sourire, d'avoir les lèvres entrouvertes, deux millimètres peut-être. Autour de ma bouche et de mes yeux, on distingue de petites rides, des coups de griffes, de fines éraillures, et sur mon front, des rides plus prononcées. Celles d'amertume et du lion sont là. Mes joues sont légèrement relâchées. Mes paupières se sont alourdies et des poches discrètes ont fait leur apparition, assombrissant la peau à cet endroit. Sur mes mains, il y a de minuscules taches de rouille. On dirait qu'y sont plantés des clous de tapissier. La peau de mes bras a perdu de sa fermeté, elle semble floue. Essaie de ne pas sourire, dit Fabrice pour la trente-troisième fois. Parce que je ne peux m'empêcher de sourire. Parce que je suis heureuse.

Parce que j'ai soixante-trois ans. Tu es belle, dit le photographe ; je les trouve magnifiques ces douleurs, ces joies, que l'on voit enfin sur ton visage, Betty, elles racontent une odyssée ; essaie de ne pas sourire ; et clac, le flash, les étoiles filantes dans les yeux, la photo est faite ; c'est grandiose, je crois que maintenant mon livre est prêt, merci Betty, merci.

Lorsque l'agent immobilier est venu poser la pancarte « Bail à céder » sur la vitrine du Mal Assis, Yvonne, la voisine qui prenait toujours grand soin de ses azalées et de ses hibiscus dans la cour, a accouru, affolée, que se passe-t-il, que se passe-t-il ; elle m'a dévisagée, interdite : vous, vous êtes la maman de Betty, il lui est arrivé quelque chose ? Je lui ai souri, non, il ne lui est rien arrivé, elle a juste décidé de partir, elle avait envie d'une autre vie, plus proche d'elle, de ses rêves ; oh quel dommage, a marmonné la jardinière, quel dommage, elle était tellement gentille, c'était si agréable d'avoir une jeune avec nous, vous lui direz de m'envoyer de ses nouvelles ; c'est promis ; et je n'ai pu m'empêcher de la serrer dans mes bras, elle m'a demandé de vous embrasser ; c'est vrai ? a repris Yvonne, les yeux émerveillés tout à coup – une petite fille dans un magasin de poupées ; c'est vrai, elle vous aimait bien ; puis je suis partie.

À la gare de Lille-Flandres, j'ai loué une automobile confortable, silencieuse, j'ai quitté Lille, puis rejoint l'autoroute A1, en direction de Paris. Bach, sur Radio Classique ; une adaptation d'Alessandro Marcello, adagio envoûtant, une grâce. Les kilomètres tranquilles. Je souriais. Je souriais comme je souriais à dix-huit ans, en marchant seule, en montant à bord du Mongy, comme lorsque André m'avait abordée et demandé pourquoi je souriais.

Je retrouverai mon fils et Saga. Je leur expliquerai que je m'étais perdue et qu'il m'a fallu du temps pour revenir, toute une vie. Que je suis sa maman, et non pas sa cousine, que mes bras sont des branches infatigables et solides où s'accrocher les jours tempétueux, où amarrer des îles. J'apprendrai la goyère à ma ravissante belle-fille, le rôti, *saignant, Saga, saignant, sinon c'est de la semelle*, parfumé de laurier, de thym, persillé d'ail, et la tarte aux spéculoos. Je leur avouerai que je m'appelais Martine avant, et que Betty est mon nom de survivante. Je confesserai un soir à mon fils qu'il a eu une petite sœur ou un petit frère, qui a coulé de mon ventre une nuit de liesse et que mes mains n'ont pas su retenir, mais à qui je parle encore, la nuit, parfois, à qui je parle de ce grand frère sur la terre. Je serai une grand-mère présente, aimable et affectueuse. Je trouverai la recette du meilleur chocolat chaud du monde, et lorsque mes petits-enfants viendront à la maison, je noterai leur taille sur le chambranle des portes de leurs chambres. J'ai passé Paris. Le périphérique. La sauvagerie de certains conducteurs. Gentilly. Chevilly-Larue. La laideur des choses alentour. Le gris, le sale. Le mauvais goût de quelques hommes. L'*Ave Maria* de Caccini dans l'habitacle. Je leur raconterai ma mère, je leur parlerai du tableau de Raphaël, je leur dirai la Ford Taunus ocre, la vitesse, le souffle d'un ouragan, puis le bruit sourd, et soudain le silence, le corps fauché dans un instant de joie pure, éjecté à quinze mètres de là, désarticulé, je leur dirai mon envie depuis de la garder auprès de moi, mon impuissance et ma peine ; je leur parlerai de Long John Silver, et s'il est toujours en vie, alors peut-être les emmènerai-je le voir afin de leur montrer de quelle force, de quelle douleur ils sont les petits-enfants, leur prouver qu'on peut survivre au feu. Je me suis arrêtée pour faire le plein d'essence. Boire un thé insane. Manger quelque chose de spongieux. Puis j'ai repris la route. Les camions, infinie file indienne, serpent monstrueux. Olivier Bellamy et Michel Legrand, assis dans la voiture, parlaient de leur *passion classique*. J'ai chanté *Les Moulins de mon cœur*, j'ai chanté *Un été 42*, j'étais bien. Le soleil a commencé de disparaître – une orange qui glisse d'un arbre, au ralenti. Les phares des voitures, comme des lampions de fête. Après Lyon, Valence, Montélimar. Sortie Avignon sud. Je me suis souvenue que je m'étais promis d'aller un été au festival et ne l'avais jamais fait – il y a toujours une bonne raison pour se trahir. La nationale 7. De nuit. Les noms magiques. Apt. Jonquerettes. L'Isle-sur-la-Sorgue. J'y ai trouvé une chambre à

l'hôtel Les Névons et me suis effondrée de fatigue.
Au matin, petit déjeuner au bord de la rivière.
Trois enfants jetaient en riant des cailloux vers les
colverts. Une heure hors du temps. Une jolie vieille
dame seule, dans l'ombre des marronniers. Deux
messieurs m'ont saluée, des Anglais. Puis j'ai visité
le village, surnommé la Venise comtadine. Les
roues à aubes. Les quais. Les églises et les chapelles.
Les fabriques de tapis. Les pêcheurs. Leurs éton-
nantes embarcations nommées Nego-Chin – litté-
ralement *chien qui se noie*, allez savoir pourquoi.
Et les antiquités, bien sûr. Puis j'ai repris la route.
Cavaillon. Les Vignères. Bonnieux, enfin. Une vue
remarquable sur le Petit Luberon et, au nord, sur
les plateaux des monts de Vaucluse. Il était presque
midi. Il m'a fallu demander plusieurs fois mon chemin pour trouver la maison d'Alain Laurens, ah,
l'perché ! s'est exclamé un homme en riant, s'il est
pas dans un arbre comme les singes, ah, ah, vous
le trouverez chez lui, avec ses compagnons, ah, ah,
l'deuxième chemin à gauche, à la croix de fer, vous
pouvez pas rater, m'dame, oh, non.

Les hommes et deux femmes étaient attablés
dans le jardin, à l'ombre. Ils parlaient fort, riaient,
ils buvaient du rosé, partageaient le pain sombre,
le fromage, les jambons et les fruits. Ils avaient des
visages de gens heureux, des yeux ensoleillés, des
mains larges, fortes, capables au toucher de recon-
naître un frêne blanc, un pin d'Oregon ou une
loupe d'amboine. Je me suis avancée lentement,

la main en visière à cause du soleil. Je tremblais
bien qu'il fasse chaud. Un homme m'a désignée
du doigt, d'autres ont alors tourné leur visage
vers moi. L'un d'eux s'est pétrifié. Puis sa main
a semblé reprendre vie, a posé la fourchette dans
l'assiette. Il s'est levé et il m'est apparu alors qu'il
tremblait autant que moi. Il a fait quelques pas
incertains. S'est arrêté. Deux pas encore. Puis il a
souri. Tout son corps semblait sourire. S'ouvrir.
Même son regard triste à la Gene Kelly souriait.

Alors, à soixante-trois ans, je me suis mise à cou-
rir comme une folle et me suis jetée dans les bras
de l'homme de toute ma vie.

La vieillesse est une victoire.

POSTFACE

On m'a bien souvent demandé, lors de mes rencontres en librairies, médiathèques ou Salons du livre, comment je faisais pour me *mettre à ce point dans la peau d'une femme* (sic).

Ma réponse était toujours la même. Par amour – amour au sens que lui donnait Sagan lorsqu'elle écrivait : « Aimer, c'est comprendre. »

Et puis, un jour de mars 2018, lorsque j'ai vu ce livre pour la première fois dans la vitrine d'une librairie, là où il devenait un objet parmi d'autres, et que j'ai *vraiment* lu son titre, j'ai compris.

La femme qui ne vieillissait pas existait. Je la connaissais.

C'est ma mère.

Elle ne vieillira plus. Je possède son dernier portrait. Celui après lequel il n'y a plus rien. Plus de nouvelles rides, de nouveaux rires ; plus de câlins ni de jattes de Ricoré les soirs d'enfance où on ne trouvait pas le sommeil parce que les chagrins empêchaient de dormir.

J'ai alors compris que les livres racontaient des choses bien à eux, qu'ils se servaient de nos mots pour placer les leurs.

Je me mettais dans la peau d'une femme, j'avais été une femme, parce que ma mère me manquait. Elle est décédée tandis que je rédigeais *L'Écrivain de la famille*, un roman où un enfant pardonne à ses parents son enfance fracassée quand il comprend qu'être fracassé n'est pas toujours un désastre, mais la possibilité de se recoller *en mieux* ; elle n'aura donc jamais su cette indulgence ni que je m'étais enfin décidé à écrire, ce qui, je crois, l'aurait amusée. Aussi, et je comprends pourquoi maintenant, j'ai eu besoin d'être une femme dans mon deuxième livre, *La Liste de mes envies* : pour voir le monde avec ses yeux à elle, pour connaître le poids de l'amour traître, pour ressentir ses inquiétudes à l'endroit de ses enfants.

Je voulais garder ma mère auprès de moi encore.

Et puis a été le temps du rangement et du vide de son appartement. Les tiroirs qu'on ouvre délicatement en espérant ne rien découvrir qui peine. Les vêtements vides, comme des petits corps décharnés. Un livre sur le canapé, une lecture inachevée. Et des photos que je découvrais pour la première fois. Des photos d'elle du temps de ses vingt ans, de ses trente ans, avec mon père, avec d'autres hommes qui la regardaient, la convoitaient peut-être, et je l'ai vue belle et jeune et pleine de vie et j'ai deviné son insoupçonnée sensualité, j'en ai été troublé, comme tous les fils je suppose, et j'ai décidé – à moins que ce ne soit le livre en moi qui ait décidé à ma place – d'écrire *Danser au bord de l'abîme*, de poursuivre ce deuil qui ne se nommait pas encore, d'explorer l'idée du désir avec ses yeux à elle, sa peau, ses envies – Dieu que nous aurions aimé, mon frère, ma sœur et moi, qu'elle ait eu la force de tout quitter pour être heureuse. J'ai été cette femme qui quitte tout, par amour encore, pour que ma mère ait droit à une vie amoureuse, une vie radieuse. J'ai été *elle* une fois encore, pour la retenir encore un peu.

Dix ans ont passé depuis qu'elle ne s'est pas réveillée. Dix ans à me rapprocher d'elle – *peut-on être un jour plus vieux que ses parents ?* Et ce dernier livre a commencé à pousser en moi, comme un chiendent d'abord, puis un bouquet civilisé, une couronne pour un marbre froid. J'ai écrit *La femme qui ne vieillissait pas* dans une liesse curieuse, ce sentiment de me délivrer, de me *mettre à ce point dans la peau d'une femme* pour la dernière fois dans ce long deuil – une femme figée au monde, une pierre dans un ruisseau sur laquelle l'eau et la vie passent sans l'entraîner jamais –, et je me suis rendu compte avec effroi et joie en ce jour de mars 2018, devant la vitrine de cette librairie, qu'une sorte de triptyque s'était écrit à travers moi, bien au-delà de ces trois femmes, Jocelyne de *La Liste*, Emma de *Danser* et Betty de *La femme qui ne vieillissait pas*, qu'elles avaient été les trois étapes de ces longues funérailles.

Je viens de laisser ma mère enfin s'envoler, j'apprends à marcher sans tomber ni tituber et chaque pas que je fais est un merci que je lui destine, un mot que je lui adresse car les livres sont les seules sépultures joyeuses pour ceux qu'on a aimés.

REMERCIEMENTS

À toute la bande géniale du Livre de Poche, joyeusement emmenée par Véronique Cardi.

À Audrey Petit, ma précieuse et délicate éditrice, Florence Mas, pour toutes les émotions, du rire aux larmes, et Anne Bouissy-Volcouve, pour sa disponibilité rare.

Aux libraires et aux merveilleuses rencontres. À nos mamans qui ne vieillissent plus.

Et à Dana, auprès de qui j'aime de plus en plus vieillir.

Le Livre de Poche s'engage pour
l'environnement en réduisant
l'empreinte carbone de ses livres.
Celle de cet exemplaire est de :
250 g éq. CO_2
Rendez-vous sur
www.livredepoche-durable.fr

PAPIER À BASE DE
FIBRES CERTIFIÉES

Composition réalisée par PCA

Achevé d'imprimer en janvier 2019, en France sur Presse Offset par
Maury Imprimeur – 45330 Malesherbes
N° d'imprimeur : 233319
Dépôt légal 1re publication : février 2019
LIBRAIRIE GÉNÉRALE FRANÇAISE – 21, rue du Montparnasse – 75298 Paris Cedex 06

33/9403/0